小太阳经典阅读

XIAOTAIYANGJINGDIANYUEDU

ZHONGHUASHANGXIAWUQIANNIAN

中华上下五千年

草原帝国 · 明清兴衰 · 民国风云

内蒙古人民出版社
NEIMENGGURENMINCHUBANSHE

图书在版编目（CIP）数据

中华上下五千年.草原帝国、明清兴衰、
民国风云/郭奇编著.—呼和浩特：内蒙古
人民出版社，2008.12
（小太阳经典阅读）
ISBN 978-7-204-09781-4

Ⅰ.中⋯ Ⅱ.郭⋯ Ⅲ.中国—古代史—少年读物 Ⅳ.K220.9

中国版本图书馆 CIP 数据核字（2008）第 191023 号

小太阳经典阅读

编　　者	郭　奇	
责任编辑	布　和	
封面设计	郭　奇	
出版发行	内蒙古人民出版社	
印　　刷	武汉友联印刷有限公司	
开　　本	880×1230　　1/32	
印　　张	192	
字　　数	1500 千	
版　　次	2010 年 1 月第 1 版	
印　　次	2010 年 1 月第 1 次印刷	
印　　数	1—10000 册	
标准书号	ISBN 978-7-204-09781-4/G · 2848	
定　　价	192.00 元（全 16 册）	

如出现印装质量问题，请与承印厂联系退换。

目 录
CONTENTS

第十一章　民国风云

中 华 上 下 五 千 年

第 九 章

草原帝国

——一代天骄成吉思汗——

zhonghuashangxiawuqiannian

　　南宋王朝一面对金朝屈辱求和，一面加紧对人民剥削，加重税捐，使老百姓遭到重重灾难。

　　公元 1162 年 5 月，没有皇子的宋高宗，立太祖赵匡胤的后裔赵玮为太子，并改名昚（shèn）。六月，高宗宣布退位，做太上皇去了，太子赵昚即位，这就是宋孝宗。

　　宋孝宗即位后，也想整顿朝纲，抗击金兵，收复失地，因此一度出现了较好的局面。

　　宋朝宰相韩侂胄北伐的时候，金朝内部也已经十分腐败。北方的蒙古族趁这个时机强大起来。公元 1206 年，蒙古各部落首领在斡难河（今鄂嫩河，斡 wò）边，举行了一次盛大的集会，公推铁木真做全蒙古的大汗（就是大帝的意思），并且给他上了一个称号，叫成吉思汗。

　　铁木真本来是蒙古族孛儿只斤部酋长也速该的儿子。他幼年的时候，金王朝统治者对蒙古族人民实行残酷统治，各部落之间也互相打冤家，蒙古族人民的生活十分苦难。铁木真的祖先俺巴孩就是被金朝皇帝杀害的。

　　铁木真九岁那年，也速该把铁木真带到一个朋友家定亲。他把铁木真留在朋友家里独自回家，赶了一段路，肚子饿得慌，想找点东西吃，正好看见有一批塔塔儿部人在草原上举行宴会。他下马走进人群，按照当地风俗，参加了塔塔儿人的宴会。

　　塔塔儿部和孛儿只斤部打过冤家。也速该没想到这一层，塔塔儿部却有人认出了也速该，偷偷地在也速该吃的食物里放了毒

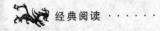

经典阅读 ······

药。也速该在离开宴会回家的路上，肚子疼得支不住，才想到刚才在宴会上中了毒，但是懊悔也来不及了。他熬着疼痛赶回家里，就咽了气。

也速该一死，孛儿只斤部失掉了首领，都散了伙。原来归附也速该的泰亦赤部也脱离了他们，还带走了不少也速该的奴隶和牲畜。铁木真的家境就一天不如一天了。

泰亦赤部的首领怕铁木真长大起来向他们报仇，就带领人马捉拿铁木真，想把他杀害。铁木真得到消息，连忙逃到一座森林里。

铁木真在森林里躲了九天九夜，没吃没喝，忍不住饥饿，走了出来。他一出森林，就被泰亦赤人抓住了。泰亦赤人给他戴上木枷，带到各个营帐里去示众。有一天，泰亦赤部的首领和百姓都在斡难河边举行宴会，只留了一个年轻的看守监视他。铁木真趁看守不防备，举起木枷把看守砸昏了，逃了出来。

以后，铁木真和他的母亲、弟妹又躲进深山里，靠捉土拨鼠、野鼠当饭吃，日子过得更艰苦了。

年轻的铁木真为了恢复父亲的事业，想尽办法，渐渐把他们部落失散的亲属和百姓聚集拢来。他在跟别的部落的战斗中打了胜仗，力量渐渐壮大起来。

铁木真跟另一个部落的首领札木合是朋友。他俩常常白天在树阴下举行宴会，晚间睡在一起，要好得像自己兄弟一样。但是，后来铁木真力量强大了，札木合部下有人投奔铁木真，札木合很不高兴。有一次，札木合的弟弟抢夺铁木真的马群，被铁木真部下杀了，双方发生了冲突。札木合集合了他统治的十三部一共三万人马攻打铁木真。铁木真也不肯示弱，把部下的三万人马分成十三支队伍，抵抗札木合的进攻。双方在斡难河边的草原上展开了一场大战，铁木真抵挡不住，败退了。札木合把抓住的战俘成批杀害。这件事引起札木合部下的不满，纷纷脱离札木合投奔铁木真，铁木真虽然打了败仗，实力反而更壮大了。

铁木真没有忘记杀害他父亲的仇人塔塔儿部首领蔑古真。没有多久，蔑古真得罪了金朝，金朝派丞相完颜襄约铁木真配合进攻塔塔儿部。铁木真认为这是个报仇的好机会，就和金兵一起夹击塔塔儿部，把塔塔儿部打得全军覆没，俘获了大批人口和牲畜、辎重。金王朝认为铁木真立了功劳，封他做前锋司令官。

以后，铁木真又经过几次战斗，陆续消灭了蒙古高原好几个部落，终于统一了全蒙古。他被蒙古各部首领推举当了大汗，这就是举世闻名的成吉思汗。

成吉思汗即位以后，建立了军事和政治制度，使用了蒙古文字，使蒙古成了一个强大的汗国。但是金朝还把蒙古当作它的附属国，要成吉思汗向他们进贡。成吉思汗立志要改变这种屈辱的地位。

金章宗死后，太子完颜永济即位，派使者到蒙古下诏书，要成吉思汗下拜接受。成吉思汗问使者新皇帝是谁，使者告诉他是永济。成吉思汗轻蔑地吐了一口唾沫，说："我原来以为中原主人是天上人做的，像这种庸碌无能的人也配做皇帝？"说罢，就把金朝的使者丢在一边，自己上马走了。打那以后，成吉思汗就跟金朝决裂。

公元1211年，成吉思汗决心大举进攻金朝。他登上高山对天祈祷，说："金朝皇帝杀害我的祖先俺巴孩，请允许我报这个仇吧！"接着，他就选了三千名精锐骑兵南下。金将胡少虎带了三十万金兵抵抗，被蒙古军打得一败涂地。过了两年，蒙古兵又打进居庸关，围攻金朝的中京（今北京市）。成吉思汗跟他四个儿子分兵几路，在河北广大平原上横冲直撞，所向无敌。

这时候，金朝内部十分混乱，金主完颜永济被杀，新即位的金宣宗不得不向成吉思汗求和，献出大批金帛，把公主嫁给成吉思汗。成吉思汗才撤兵回去。

成吉思汗打败了金朝，兵力更强大了。公元1219年，有一支蒙古商队受成吉思汗派遣到西方去，经过花剌子模（在今里海东、咸海西），被当地的守将杀害。成吉思汗亲自率领二十万蒙古大军

经典阅读 ······

攻打花剌子模，接着，又向西攻打，占领了现在的中亚细亚各国，前锋一直打到现在的欧洲东部和伊朗北部，才带兵回国。

成吉思汗带兵西征的时候，曾经要西夏发兵帮助，西夏不但拒绝出兵，而且和金朝结了同盟。成吉思汗回来以后就决心灭掉西夏。在围攻西夏京城的最后时刻，他自己却得了重病。他知道好不起来，就在病床上对部下将领说："我们攻打金朝，要向宋朝借路。宋朝和金朝冤仇很深，一定会答应我们。"

成吉思汗死后，他的儿子窝阔台接替他做大汗。窝阔台按照成吉思汗的遗嘱，向南宋借路，包围金朝京城开封。公元1233年，蒙古军攻破开封，金哀宗逃到蔡州（今河南汝南）。蒙古又联合南宋围攻蔡州。

金哀宗派使者向宋理宗（宋宁宗的继子，名叫赵昀）求和，说："金朝被灭，下一步就挨到宋国了；如果跟我们联合，对金、宋两国都有好处。"

宋理宗没有理睬他，金哀宗走投无路，只好自杀。公元1234年，金朝在蒙、宋两军夹攻下灭亡。

文天祥起兵

元兵乘胜南下，进逼临安。四岁的皇帝赵显，只是挂个名的。他祖母谢太后和大臣们一商量，赶紧下诏书要各地将领带兵援救朝廷。诏书发到各地，响应的人很少。只有赣州的州官文天祥和郢州（今湖北钟祥）守将张世杰两人立刻起兵。

文天祥是我国历史上著名的民族英雄，吉州庐陵（今江西吉安）人。他从小爱读历史上忠臣烈士的传记，立志要向他们学习。二十岁那年，他到临安参加进士考试，在试卷里写了他的救国主张，受到主考官的赏识，中了状元。

文天祥在朝廷做了官之后，马上发现贾似道和一批宦官都是些祸国殃民的奸臣。有一回，蒙古军攻打南宋，宦官董宋臣劝宋理宗放弃临安逃跑，文天祥马上上了一道奏章要求杀掉董宋臣，免得动摇民心。为了这件事，他反被撤了职。后来，他回到临安担任起草诏书的工作，又因为得罪贾似道，在他三十七岁那年，竟被迫退休。一直到了南宋王朝快要灭亡的危急时刻，他才被派到江西去担任赣州的州官。

文天祥接到朝廷诏书，立刻招募了三万人马，准备赶到临安去。有人劝他说："现在元兵长驱直入，您带了这些临时招募起来的人马去抵抗，好比赶着羊群去跟猛虎斗，明摆着要失败，何苦呢？"

文天祥泰然回答说："这个道理我何尝不知道。但是国家养兵多年，现在临安危急，却没有一兵一卒为国难出力，岂不叫人痛心！我明知道自己力量有限，宁愿以死殉国。但愿天下忠义的人，闻风而起，人多势大，国家才有保全的希望。"

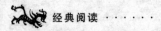

文天祥排除种种阻挠，带兵到了临安。右丞相陈宜中派他到平江（今江苏苏州）防守。这时候，元朝统帅伯颜已经渡过长江，分兵三路进攻临安。其中一路从建康出发，越过平江，直取独松关（今浙江余杭）。陈宜中又命令文天祥退守独松关。文天祥刚离开平江，独松关已经被元军攻破，想再回平江，平江也失守了。

文天祥回到临安，跟郢州来的将领张世杰商量，向朝廷建议，集中兵力跟元军拼个死战。但是胆小的陈宜中说什么也不同意。

伯颜带兵到了离临安只有三十里的皋亭山（在今杭州东北）。朝廷里一些没有骨气的大臣，包括左丞相留梦炎都溜走了。谢太后和陈宜中惊慌失措，赶紧派了一名官员带着国玺和求降表到伯颜大营求和。伯颜指定要南宋丞相亲自去谈判。

陈宜中害怕被扣留，不敢到元营去，逃往南方去了；张世杰不愿投降，气得带兵乘上海船出海。谢太后没办法，只好宣布文天祥接替陈宜中做右丞相，要他到伯颜大营去谈判投降。

文天祥答应到元营去，但是他心里另有打算。他带着大臣吴坚、贾余庆等到了元营，见了伯颜，根本不提求和的事，反而严正地责问伯颜说："你们究竟是想跟我朝友好呢，还是存心消灭我朝？"伯颜说："我们皇上（指元世祖）的意思很清楚，并不是要消灭宋朝。"文天祥说："既然是这样，那么请你们立刻把军队撤退到平江或者嘉兴。如果你们硬要消灭我朝，南方军民一定跟你们打到底，对你们未必有好处。"伯颜把脸一沉，用威胁的口气说："你们再不老实投降，只怕饶不得你们。"文天祥也气愤地说："我是堂堂南宋宰相。现在国家危急，我已经准备好拼一死报答国家，哪怕刀山火海，我也毫不害怕。"

文天祥洪亮的声音，庄严的语言，把伯颜的威胁顶了回去。周围的元将个个吓得惊奇失色。双方会见之后，伯颜传出话来，让别的使者先回临安去跟谢太后商量，却把文天祥留下来。文天祥知道伯颜不怀好意，向伯颜抗议。伯颜装出若无其事的样子说："您别发火。两国和议大事，正需要您留下商量嘛。"

随同文天祥到元营的吴坚、贾余庆回到临安，把文天祥拒绝投降的事回奏谢太后。谢太后一心投降，改任贾余庆做右丞相，到元营去求降。伯颜接受降表后，再请文天祥进营帐，告诉他朝廷已另外派人来投降。文天祥气得把贾余庆痛骂一顿，但是投降的事已无法挽回了。

公元1276年，伯颜带兵占领临安。谢太后和赵显出宫投降，元军把赵显当作俘虏押送大都（今北京市），文天祥也被押到大都去。一路上，他一直在考虑怎样从敌人手里逃脱。路过镇江的时候，他和几个随从人员商量好，瞅元军没防备，逃出了元营，乘小船到了真州。

真州的守将苗再成听到文丞相到来，十分高兴，打开城门迎接。苗再成从文天祥那里知道临安已经陷落，表示愿意跟文天祥一起，集合淮河东西的兵力，打退元兵。

文天祥正在高兴，哪儿知道守扬州的宋军主帅李庭芝听信谣言，以为文天祥已经投降，是元军派到真州去的内奸，命令苗再成把他杀死。苗再成不相信文天祥是这样的人，但是又不敢违抗李庭芝的命令，只好把文天祥骗出真州城外，把扬州的来文给他看了，叫文天祥赶快离开。

文天祥没办法，又带着随从连夜赶到扬州。第二天天没亮，到了扬州城下，等候开门进城。城门边一些等着进城的人坐着没事都在闲谈。文天祥一听，知道扬州正在悬赏缉拿他，不能进城了。

文天祥等十二个人为了免得被缉拿，改名换姓，化了装，专拣僻静的小路走，想往东到海边去，找船向南转移。

十几个人走了一程，正遇到一队元朝的骑兵赶了上来。他们躲进一座土围子里，幸亏没被元兵发现。

文天祥等日行夜宿，历尽千难万险，终于在农民的帮助下，从海口乘船到了温州。在那儿，他得到张世杰和陈宜中在福州拥立新皇帝即位的消息，就决定到福州去。

张世杰死守厓山

张世杰、陈宜中怎么会到福州去的呢？原来，在临安被元兵占领、小皇帝赵显被俘虏到大都去后，赵显的两个哥哥，九岁的赵昰（shì）和六岁的赵昺（bǐng），在南宋皇族和大臣陆秀夫护送下逃到福州。陆秀夫派人找到张世杰、陈宜中，把他们请到福州。三个大臣一商量，决定拥立赵昰即位，继续打起宋朝的旗帜，反抗元朝。

文天祥得到了这个消息，感到有了恢复的希望，马上也赶到福州，在新的朝廷里担任枢密使。他向陈宜中建议，从海路进攻元军，收复两浙地区。但是陈宜中认为这样做太冒险，不同意文天祥的意见。

文天祥只好改变主意，到南剑州（今福建南平）建立都督府，招募人马，准备反攻。第二年，文天祥进兵江西，在各地起义军的配合之下，连续打败元军，收复了会昌等许多县城。

这时候，另一路元军已经南下攻打福州。宋军节节败退，陈宜中眼看恢复没有希望，就独自乘船逃到海外去了。张世杰和陆秀夫等保护赵昰逃上海船，往广东转移。不幸海上刮起一场飓风，差点把船打翻，年幼的赵昰受了惊，得病死了。

张世杰和陆秀夫在海上又拥立赵昺即位，把水军转移到厓山（在今广东新会南，厓yá）。

元朝大将张弘范向元世祖报告说，如果不迅速扑灭南方的小朝廷，恐怕有更多的宋人响应。元世祖就派张弘范为元帅，李恒为副帅，带领精兵二万人，分水陆两路南下。

张弘范先派兵攻打驻守在潮州的文天祥。文天祥兵少势孤，被迫转移到海丰的一座荒山岭。元军突然赶到，文天祥被俘虏了。

元兵把文天祥送到张弘范大营，张弘范假意殷勤，给文天祥松了绑，把他留在营里，接着，就下命令集中水军开往厓出。

元军到了厓山，张弘范先派人向张世杰劝降。张世杰说："我知道投降元朝，不但可以活命，而且可以得到富贵。但是，我宁可丢脑袋，决不变节。"

张弘范知道张世杰平日很敬佩文天祥，就要文天祥写信给张世杰招降。文天祥冷笑说："我自己不能救父母，难道会劝别人背叛父母吗？"

张弘范叫人拿来笔墨，硬逼他写信。文天祥接过笔，毫不犹豫地写下两句诗：

人生自古谁无死，留取丹心照汗青！

（意思是：自古以来，人免不了一死，我要留下赤诚的忠心，照耀千秋。原诗有八句，是文天祥过零丁洋的时候写的。）

兵士把他写的诗句拿给张弘范，张弘范看了只好苦笑。他眼看劝降毫无希望，就只有拼命攻打。

厓山在我国南面海湾里，背山面海，地势险要。张世杰在海上把一千多条战船排成一字阵，用绳索连接起来，船的四周还筑起城楼，决心跟元兵决一死战。元军用小船满装了茅草，浇足了油，点着了火，乘着风势向宋军发起火攻。张世杰早防到这一着，在船上涂上厚厚的一层湿泥，还缚了一根根长木头，顶住元军的火船。

张弘范的火攻失败了，就用船队封锁海口，断绝了张世杰通往陆地的交通。宋兵在海上饿了吃干粮，渴了喝海水海水，又咸又苦，兵士们喝了纷纷呕吐。张弘范发动元兵发起猛攻，宋兵誓死抵抗，双方相持不下。

这时候，元军副统帅李恒也从广州到厓山跟张弘范会师。张弘范增加了实力，重新组织力量进攻。他把元军分为四路，围攻宋军。潮落的时候，元军从北面冲击；潮涨的时候，元军又顺着潮水从南面进攻。

宋军两面受敌，正在拼命招架。忽然听到张弘范的坐船奏起音乐来。宋军听了，以为元将正在举行宴会，稍微松懈一下。哪想到这个乐声恰恰是元军总攻的讯号。乐声一起，张弘范的坐船发起进攻，箭如雨一样射向宋船。元兵在乱箭掩护下，夺了宋军七条战船。各路元军一起猛攻，从晌午到傍晚，厓山的海上，海潮汹涌，杀声震天。

张世杰正在指挥战斗，忽然看见一条宋船降下了旗，停止抵抗，其他战船也陆续下了旗，张世杰知道大势已去，急忙一面把精兵集中在中军，一面派人驾驶小船，准备把赵昺接过来，组织突围。

赵昺的坐船，由陆秀夫守着。他对张世杰派去接赵昺的小船，闹不清是真是假，怕小皇帝落在元军手中，就拒绝了使者的要求。他回过头对赵昺说："国家到了这步田地，陛下也只好以身殉国了。"说着，就背着赵昺一起跳进了大海，在滚滚波涛里淹没了。

张世杰没有接到赵昺，只好指挥战船，趁着夜色朦胧，突围撤退到海陵山。他点了一下战船，一千条战船只剩下十几条。这时候，海岸又刮起了飓风，有人劝张世杰登岸避风。张世杰坚持不肯上岸。一阵巨浪袭来，把他的船打沉了。这位誓死抵抗的宋将终于落水牺牲。

公元1279年二月，元朝统一了中国，南宋宣告灭亡。

正 气 歌

元军攻下厓山以后，张弘范召集将领，举行庆功宴会，把文天祥请来。宴会席上，张弘范对文天祥说："现在宋朝灭亡，丞相已经尽到最后一片忠心。只要您回心转意，归顺我们大元皇上，还能保持您丞相的地位。"

文天祥含着眼泪说："国破家亡，我身为宋朝大臣，没能够挽回局势，死了还有罪孽，怎么还能贪图活命呢。"张弘范一再劝降，没有结果，只好派人把文天祥押送到大都。

过了半年，文天祥被押到大都，元王朝下令把他送到上等的宾馆里，用美酒好菜招待他。过了几天，元朝丞相博罗派投降官员留梦炎去劝降。文天祥对这个叛徒早已深恶痛绝，现在见他居然老着脸皮来劝降，更是火冒三丈。没等留梦炎开口，就一顿痛骂，把留梦炎骂得抬不起头，灰溜溜地走了。

元朝对文天祥劝降不成，就把他移送到兵马司衙门，戴上脚镣手铐，过着囚徒的生活。过了一个月，博罗把文天祥提到元朝的枢密院，亲自审问。

文天祥被兵士押着，来到枢密院大堂，只见博罗满脸凶相，坐在上面。文天祥正眼也不看他，昂起头，挺直腰杆走上前去。左右兵士吆喝他跪下，被文天祥拒绝了。

博罗恼羞成怒，喝令左右动手。兵士们把文天祥拉的拉，推的推，将文天祥按倒在地上。

博罗说："你还有什么话可说？"

文天祥坦然说："从古以来，国家有兴有亡，做大臣的被灭被杀的，哪一个朝代没有？我是宋朝的臣子，现在既然已经失败，只求早死。"

博罗怕审问出现僵局，想缓和一下空气，就说："自从盘古到现在，有几个帝王，你倒说来听听。"

文天祥哼了一声，说："一部十七史（指《史记》等十七部历史书），从哪里说起？我今天不是到这里来应考，哪有心思跟你们闲扯。"博罗被文天祥抢白几句，讨个没趣，就无理取闹地责问文天祥为什么丢了临安逃走，为什么要另立二王（指赵昰、赵昺）。文天祥一条条据理驳斥，最后，他慷慨激昂地说："我文天祥今天落在你的手里，早就准备一死，何必再啰嗦！"

博罗气得吹胡子瞪眼睛，喝令把文天祥押回兵马司。他想杀掉文天祥。但是元世祖恐怕杀了文天祥，民心不服，不同意把他杀害。文天祥被关的那间土牢，又矮又窄，阴暗潮湿。遇到雨天，屋面漏水，满地是水；一到夏天，地面上发出一阵阵蒸气，更加闷热。牢房的隔壁，有狱卒的炉灶，有陈年的谷仓，发出阵阵烟火气、霉气，再加上厕所里大粪的气味，死老鼠的臭味，使人极其难受。文天祥被关在这间牢房里，恶劣的环境只能折磨他的身体，却并不能摧毁他的意志。他相信，只要有爱国爱民族的浩然正气，就能够战胜一切恶劣的环境。

他在牢房中，写下了千古传诵的《正气歌》。他在那首诗里，举了历史上一些坚持正义、不怕牺牲的忠臣义士的例子，认为这都是正气的表现。他在诗中写道：

　　天地有正气，杂然赋流形。

　　下则为河岳，上则为日星。

　　于人曰浩然，沛然塞苍冥。

　　……

　　时穷节乃见（同"现"字），一一垂丹青。

（意思是：天地之间有一种正气，分别表现为各种物体。如地

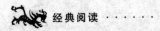

下的大河高山，天空的明月星辰。在人的身上就表现为浩然之气，充塞在宇宙之间。……到了危急的关头，才表现出他的气节，他们的事迹一件件留在史册上。）

文天祥进牢的第三年，河北中山府发生了一场农民起义。起义领袖自称是宋朝皇室的后代，聚集几千人马，号召大家打进大都，救出文丞相。

这一来可把元王朝吓坏了，如果不杀文天祥，恐怕闹出大乱子来。元世祖还没有丢掉招降的幻想，决定亲自劝降文天祥。

一天，文天祥被人从牢房里押出来，带到宫里。

文天祥见了元世祖，不肯下跪，只作了个揖。元世祖问他还有什么话说。文天祥说："我是大宋宰相，竭心尽力扶助朝廷，可惜奸臣卖国，叫我英雄无用武之地。我不能恢复国土，反落得被俘受辱。我死了以后，也不甘心。"说着，咬牙切齿，不断地捶打自己的胸膛。

元世祖和颜悦色地劝说："你的忠心，我也完全了解。事到如今，你如果能改变主意，做元朝的臣子，我仍旧让你当丞相怎么样？"

文天祥慷慨地说："我是宋朝的宰相，哪有服侍两朝的道理。我不死，哪还有脸去见地下的忠臣烈士？"

元世祖说："你不愿做丞相，做个枢密使怎么样？"

文天祥斩钉截铁地回答说："我只求一死，别的没有什么可说了。"元世祖知道劝降已没有希望，才叫侍从把文天祥带出去。第二天，就下令把文天祥处死。

这一天，北风怒号，阴云密布。京城柴市的刑场上，戒备森严。市民们听到文天祥将要就义的消息，自发集中到柴市来，一下子就聚集了一万人，把刑场团团围住。只见文天祥戴着镣铐，神色从容，来到刑场。他问旁边的百姓，哪一面是南方。百姓们指给文天祥看了。他朝着正南方向拜了几拜，端端正正坐了下来，对监斩官说："我的事结束了。"公元1283年一月，这位四十七岁的民族英雄终于牺牲，在民族危亡时刻，表现了他一身的浩然正气。

——欧洲来客马可·波罗——
zhonghuashangxiawuqiannian

　　元世祖在位的时候，成吉思汗时期开始建立的庞大的蒙古汗国，已经分裂成四个汗国（钦察汗国、察合台汗国、窝阔台汗国、伊儿汗国），元朝皇帝在名义上还是四个汗国的大汗。在那个时期，中国是世界上最强大最富庶的国家，西方各国的使者、商人、旅行家纷纷慕名到中国来观光。其中最有名的要数马可·波罗。

　　马可·波罗的父亲尼古拉·波罗和叔父玛飞·波罗，原来是威尼斯的商人。兄弟俩常常到国外去做生意。蒙古汗国建立以后，他们带了大批珍宝，到钦察汗国做生意。后来，那儿发生战争，他们又到了中亚细亚的一座城市——布哈拉，在那儿住了下来。

　　有一次，忽必烈的使者经过布哈拉，见到这两个欧洲商人，感到很新奇，对他们说："咱们大汗没见过欧洲人。你们如果能够跟我一起去见大汗，保能得到富贵；再说，跟我们一起到中国去，再安全也没有了。"

　　尼古拉兄弟本来是喜欢到处游历的人，听说能见到中国的大汗，怎么不愿意？两人就跟随使者一起到了上都（今内蒙古自治区多伦县西北）。忽必烈听到来了两个欧洲客人，果然十分高兴，在他的行宫里接见了他们，问这问那，特别热情。

　　尼古拉兄弟没准备留在中国，忽必烈从他们那儿听到欧洲的情况，要他们回欧洲跟罗马教皇捎个信，请教皇派人来传教。两人就告别了忽必烈，离开中国。在路上走了三年多，才回到威尼斯。那时候，尼古拉的妻子已经病死，留下的孩子马可·波罗，已经是十五岁的少年了。

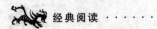

经典阅读 ······

马可·波罗听父亲和叔父说起中国的繁华情况，十分羡慕，央求父亲带他到中国去。尼古拉觉得让孩子一个人留在家里不放心，就决定带他一起走。

尼古拉兄弟见了教皇之后，带着马可·波罗到中国来。路上又花了三年多，在公元 1275 年到了中国。忽必烈已经即位称帝，听到尼古拉兄弟来了，派人从很远的地方把他们迎接到上都。

尼古拉兄弟带着马可·波罗进宫拜见元世祖。元世祖一看尼古拉身边多了一个少年，诧异地问这是谁，尼古拉回答说："这是我的孩子，也是陛下的仆人。"元世祖见到马可·波罗英俊的样子，连声说："你来得太好了。"

当天晚上，元世祖特地在皇宫里举行宴会，欢迎他们。后来，又留他们在朝廷里办事。

马可·波罗非常聪明，很快学会了蒙古语和汉语。元世祖发现他进步很快，十分赏识他，没有多久，就派他到云南去办事。元世祖喜欢了解各地风俗人情，过去，朝廷使者到各地去视察，回来的时候，问他们风俗人情，都讲不出。马可·波罗出去，每到一处，都留心考察风俗人情。回到大都，就向元世祖详细汇报。元世祖听了，直夸马可·波罗能干。以后，凡是有重要的任务，元世祖总派马可·波罗去。

马可·波罗在中国整整住了十七年，被元世祖派到许多地方视察，还经常出使到国外，到过南洋好几个国家。他在扬州呆过三年，据说还在那里当过总管。

日子一久，三个欧洲人不免想念家乡，三番五次向元世祖请求回国。但是元世祖宠着马可·波罗，舍不得让他们走。恰好那时候，伊尔汗国国王的一个妃子死了，派使者到大都来求亲。元世祖选了一个名叫阔阔真的皇族少女，赐给伊尔汗国国王做王妃。伊尔汗国使者认为走陆路太不方便，知道尼古拉他们熟悉海路，就请元世祖派尼古拉他们一起护送王妃回国。元世祖只好答应。

公元 1292 年，尼古拉兄弟和马可·波罗就和伊尔汗国使者一起，离开中国乘海船经过印度洋，把阔阔真护送到了伊尔汗国，经过三年的跋涉，才回到威尼斯。

这时候，他们离开威尼斯已经二十年。当地人长久没听到他们的消息，都以为他们死在国外了。现在看到他们穿着东方的服装回来，又听说他们到过中国，带回许多珍珠宝石，都轰动了。人们给马可·波罗起个外号，叫做"百万家产的马可"。没有多久，威尼斯和另一个城邦热那亚发生冲突，双方的舰队在地中海里打起仗来。马可·波罗自己花钱买了一条战船，亲自驾驶，参加威尼斯的舰队。结果，威尼斯打了败仗，马可·波罗被俘，关在热那亚的监牢里。热那亚人听说他是个著名的旅行家，纷纷到牢监里来访问，请他讲东方和中国的情况。

跟马可·波罗一起关在监牢里有一个名叫鲁思梯谦的作家，把马可·波罗讲述的事都记录了下来，编成一本书，这就是著名的《马可·波罗行记》（一名《东方闻见录》）。在那本游记里，马可·波罗把中国的著名城市，像大都、扬州、苏州、杭州等，都作了详细的介绍，称颂中国的富庶和文明。这本书一出版，激起了欧洲人对中国文明的向往。热那亚人因为马可·波罗出了名，把他释放回国。

打那以后，中国和欧洲人、阿拉伯人之间的往来更加密切。阿拉伯的天文学、数学、医学知识开始传到中国来；中国古代的三大发明——指南针、印刷术、火药，也在这个时期传到了欧洲（中国的另一个大发明造纸术，传到欧洲要更早一些）。

贾鲁修复黄河

zhonghuashangxiawuqiannian

贾鲁是河东高平（今山西高平）人，他从小聪明好学，善动脑筋。元仁宗、元英宗时期，他两次由州县推选，参加科举考试，都名列前茅。元顺帝时，中书右丞相脱脱主持修订辽、金、宋史，他任命贾鲁为《宋史》的撰修官。后来贾鲁又担任过工部郎中等官，是个既有知识又有经验的工程技术专家。

贾鲁接受治理黄河的任务后，不顾辛苦劳累，来回跑了几千里路，去查看河道，取得了治河的第一手资料。他还根据河道的形势画了一幅详细的治河图。同时，他提出了两个治河方案：一是在决口以下的新河道北岸筑起堤坝，以防止河水横向溃决；二是通过疏通和堵塞并举的方法，引导黄河水恢复向东流向故道。这两个方案都能收到事半功倍的效果。

贾鲁的方案并没有引起皇帝的重视，未被采纳，他还被调离了"都水监使"的岗位。结果，水患不断扩大，一直影响到山东、河北一带。脱脱再次出任右丞相后，认识到黄河非彻底治理不可，就召集大臣讨论治河方案。这次贾鲁以"都清运使"（官职名）的身份出席了讨论会。

在讨论会上，群臣议论纷纷，形成了两种截然对立的意见。以工部尚书成遵为代表的一派说："山东连年歉收，民不聊生。让黄河走故道，万万行不得！如果二十多万人生活在灾区，闹起事来，恐怕比河患还可怕呀！"

以贾鲁为代表的一方坚持他们原先的方案。

"治理黄河要讲实际效果，就必须把已经淤塞的旧河道重新开通，而且应该在汛期内就着手进行！"贾鲁不怕压力，大胆陈述。

脱脱是个以国家利益为重的人，在朝廷斗争非常激烈的情况下，他经过分析比较，认为贾鲁的第二方案可以采用，于是就支持了贾鲁。

公元 1351 年，五十五岁的贾鲁正式被任命为工部尚书兼总治河防使，并被授予二品官衔。他动员了十三路（相当于州）的民工约十五万人，再加上军队士兵两万多人，一共十七万人开上了治河工地。从四月份开始施工，到了七月河道疏凿成功；到了八月，冲破堤岸的河水重新流入了原先的河道；到了九月，黄河上又可以通行船只了；到了十一月，水土工程全部完成，使黄河从故道重新流入大海。在治理过程中，贾鲁针对许多复杂的情况，创造了许多堵塞决口和建筑堤岸的方法。其中有一个叫"石船堤障水法"值得一提。堵塞决口时正遇上秋雨潇潇，水势猛涨，给施工制造了不少困难。贾鲁准备了二十七艘大船，前后用大桅或长木桩连接起来，再用大麻绳将船身上上下下捆个结结实实，并连成方舟。施工时，从上游放入河中，让它顺流流到决口处，然后选水性好的民工，每条船上两个人，拿着斧头、凿子站在船首船尾。中听岸上鼓号齐鸣，他们一齐用斧头、凿子凿船，顷刻之间，船被凿破，水涌入，船很快沉入决口处把决口堵住，河水便流入故道。这一著名的堵口技术"石船堤障水法"，就是贾鲁创造的。

治理黄河的重任完成后，贾鲁画了一张《河平图》献给皇帝，皇帝非常高兴，专门为贾鲁树立了一块《河平碑》，碑上篆刻着翰林学士欧阳玄奉命所写的《至正河防记》，以总结治河经验，表彰贾鲁的功绩。

当年，在贾鲁住的故宅墙上，有人题写了这样一首诗："贾鲁治黄河，恩多怨亦多。百年千载后，恩在怨消磨。"

这说明后世对他的功绩自有公正的评价。而原来横贯整个河南、向东南流入淮河的惠民河，也因此改名为贾鲁河。不过，就在贾鲁受命治理黄河的那些年，引发了红巾军起义，这是他没有、也不可能想到的。

一只眼的石人

zhonghuashangxiawuqiannian

　　元朝从成宗以后，又传了九个皇帝，皇室内部斗争十分激烈，政治也越来越腐败，人民灾难深重。最后一个皇帝元顺帝（又称元惠宗，名妥懽帖睦尔）即位后，荒淫残暴，闹得国库空虚，物价飞涨，百姓忍受不下去，很多地方爆发了农民起义。

　　河北有个农民叫韩山童，他祖父是个教书先生，曾经利用传教的形式，暗地组织农民反抗元朝，被官府发现，充军到永年（今河北邯郸东北）。韩山童长大以后，继续组织白莲会（一种秘密宗教组织），聚集了不少受苦受难的农民，烧香拜佛。韩山童对他们说：现在天下大乱，佛祖将要派弥勒佛下凡，拯救百姓。这个传说很快就传到河南和江淮一带，百姓们都盼望着有那么一天，弥勒佛真会下凡来。正巧在这个时候，黄河在白茅堤决口，又碰上接连下了二十多天大雨，洪水泛滥，两岸百姓遭受严重水灾。有人向朝廷建议，把决口的地方堵住，另外在黄陵冈（今山东曹县西南）开挖河道，疏通河水。公元1351年，元王朝征发了汴梁（今河南开封）、大名等十三路民工十五万和兵士两万人，到黄陵冈开河。

　　修河工程开始了。民工们在烈日暴雨下，被迫日日夜夜没命地干活，可是朝廷拨下来的开河经费，却让治河的官吏克扣了去。修河的民工连饭也吃不饱，怨声载道。

　　韩山童决定抓住这个机会，发动群众。他先派几百个会徒去做挑河民工，在工地上传播一支民谣：

　　　　"石人一只眼，挑动黄河天下反。"

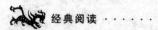

经典阅读 ······

民工们不懂这歌谣是什么意思，但是听到里面有"天下反"三个字，就觉得好日子快要到来了。开河开到了黄陵冈，有几个民工挖呀挖呀，忽然挖出一座石人来。大家好奇地聚拢来一瞧，只见石人脸上正是一只眼，不禁呆住了。这件新鲜事又很快地在十几万民工中传开来，大家心里都想，民谣说的真的应验了，既然石人出来，天下造反的日子自然来到了。不用说，这个石人是韩山童事先偷偷地埋在那里的。

百姓被鼓动起来了。韩山童有个伙伴刘福通，对韩山童说，现在元朝压迫百姓那么厉害，百姓还想念着宋朝。如果打起恢复宋朝的旗帜，拥护的人就会更多。韩山童很赞成这个主张，就跟大家宣布，说韩山童本来不姓韩，而是姓赵，按辈分排起来，还是宋徽宗的第八代孙子；刘福通也是南宋大将刘光世的后代。他们说得那么有鼻子有眼睛，百姓们听了，也不由不信。

韩山童、刘福通挑选个日子，聚集了一批人，杀了一匹白马，一头黑牛，祭告天地。大家推韩山童做领袖，号称"明王"，并约定日子，在颍州颍上（今安徽阜阳、颍上）起义，用红巾裹头作为起义军的标记。正在歃血立誓的时候，有人走漏了消息。官府派兵士把韩山童抓去，押到县衙门杀了。韩山童的妻子带着他儿子韩林儿，逃脱了官府追捕，到武安（今河北武安）躲了起来。

刘福通逃出包围，把约定起义的农民召集起来，攻占了颍州等一些据点。原来在黄陵冈开河的民工得到消息，也杀了河官，纷纷投奔刘福通的队伍。因为起义兵士头上裹着红巾，当时的百姓把他们称做红军，历史上把它称做红巾军。不到十天，红巾军已经发展到十多万人。

元王朝听到刘福通声势浩大，吓慌了神，赶忙调动了六千名色目人组成的阿速军和几支汉军，镇压红巾军。阿速军本来是元王朝的一支精锐的队伍，但是那时候，已经十分腐败，将领们只知道喝酒享乐，兵士们到处抢劫。一碰上红巾军，还没交锋，主将带头挥着鞭子，骑马向后逃奔，嘴里还不停地叫喊着："阿卜，阿卜！"（阿卜是走的意思。）下面的兵士一看主将临阵脱逃，也都四散逃窜。

过了一个月，刘福通的红巾军又连续攻下了一批城池。江淮一带的农民早就受到白莲会的影响，听到刘福通起义，纷纷响应，像蕲水（今湖北浠水，蕲 qí）的徐寿辉，濠州（今安徽凤阳）的郭子兴，都打起红巾军的旗号起义。也有不打红巾军旗号的，像江苏北部的张士诚。公元 1354 年，元顺帝派丞相脱脱集中了诸王和各省人马，动用了西域、西番的兵力，号称百万，围攻占领高邮的张士诚起义军。高邮城被围得水泄不通。起义军正在危急的时候，元王朝突然发生内乱。元顺帝下令撤掉脱脱的官爵。百万元军失去了统帅，不战自乱，全军崩溃。

元军溃散以后，刘福通的北方起义军趁机出击，大破元军。第二年二月，刘福通把韩山童的儿子韩林儿接到亳州（今安徽亳县）正式称帝，国号叫宋。韩林儿被称为小明王。韩林儿、刘福通在亳州建立政权以后，分兵三路，出师北伐。西路军由李武、崔德率领，进攻陕西、甘肃、宁夏、四川；东路军由毛贵率领，从山东、河北，直逼元朝京城大都；中路军由关先生、破头潘等率领，从山西打到辽东，配合东路军攻打大都。

三路北伐军都取得很大的进展。毛贵的东路军一直打到元大都城下。刘福通亲自率领大军攻占了汴梁，把小明王韩林儿接到汴梁，定为都城。红巾军声势浩大，元王朝大起恐慌，纠集地主武装加紧镇压，三路北伐军先后失利，汴梁又落在元军手里。元王朝又用高官厚禄招降了张士诚，刘福通保护小明王逃到安丰（今安徽寿县）后受到张士诚的袭击，公元 1363 年，刘福通在战斗中牺牲。北方起义军经过十二年的战斗，终于失败。

第 十 章

明清兴衰

和尚当元帅

在农民起义的烈火中，涌现出一位杰出的统帅。

公元 1352 年农历闰三月初一，有个剃光头颅、高大壮实、粗眼浓眉的青年，奔走在去濠州城的路上。他叫朱元璋。

朱元璋是离濠州不远的钟离县农村的穷苦农民。十七岁那年父母去世，连棺材墓地都买不起，好心的邻居帮助他安葬了双亲，介绍他到附近的皇觉寺做小和尚，挑水打杂，混口饭吃。但是年成不好，寺庙也很困难，没过几天，庙里连粥也吃不上，他像其他和尚一样，带着木鱼与食钵，外出讨饭。他流浪了三年，走过许多地方，看到了民间疾苦，也增长了见识。

他回皇觉寺后，听说刘福通在颍州举义，接着又有人说郭子兴就在濠州城里举旗造反，他决定去投奔。

郭子兴是定远县（今安徽定远）的财主，为人豪爽仗义。因为受不了官吏的窝囊气，与几个江湖朋友，聚集几千人，杀掉濠州州官，做起了元帅。他们共有五个元帅，都讲义气，但不讲纪律，没有领袖。郭子兴很希望有个得力的助手，改变现状。他一见朱元璋就爱上了，留他在身边作亲兵，后来升为亲兵长（侍卫队长）。又将养女马氏嫁给朱元璋。马氏女非常聪明贤德，是朱元璋的贤内助。

朱元璋性格刚强，作战勇猛，而且聪明睿智，沉着镇定。其他元帅与郭子兴有矛盾，一天，竟把郭子兴扣押起来，要谋害他。郭子兴的家属及部将急得没了主意。朱元璋则利用元帅间的矛盾，略施计谋，就将郭子兴解救回营。经过这场风波，朱元璋的威望

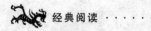

迅速提高。

但是，朱元璋感到在这样的队伍里，难有发展，便征得郭子兴同意，回到家乡，组织自己的队伍。他很快就拉起七百多人，其中有他幼时亲密的伙伴徐达、汤和、邓愈、花云等。这些人以后都成了他最信任、最得力的将领，明朝开国的功臣名将。

朱元璋很快打了几个胜仗，收编了元军好几万降军，兵力急速壮大。他奉郭子兴命南攻滁州，公元1353年又攻占和州（今安徽和县）。

朱元璋此时还只是郭子兴手下的一员大将，但是他胸怀大志，希望在这群雄崛起之中，脱颖而出，统一天下，重建太平。他很注意听取一些有学问、有远见的读书人的意见。

打和州之前，定远人李善长来投奔他。他听说李善长善于计谋，便诚恳地问："李先生，目前天下大乱，怎样才能太平呢？"

李善长有针对性地答道："秦朝时候也天下大乱。出身亭长的汉高祖气量大，能容人，又不滥杀人，所以很快就统一了天下。将军能学汉高祖，定当成就大业。"

朱元璋认为李善长的话很有见地，便认真地照着他的话去做，并留下他做谋士。朱元璋自比为汉高祖得到了谋臣萧何。

朱元璋严禁军队在战争中伤害百姓，打进和州城的时候，亲兵带了几个老百姓来向他哭诉，一问，知道从滁州跟来的部分将领流寇习气很重，竟纵容部下抢劫百姓的财物，还掳掠妇女，滥杀无辜。朱元璋很生气，当即召集众将领训话，说："我们起兵是为了推翻暴政，安定民生。你们公然抢人家的妇女与财物，与盗贼有何区别，怎能得到民众拥护？"他下令将所有抢来的妇女、财物，立即归还老百姓，严惩了违反纪律的将士。

公元1355年，朱元璋准备渡长江寻求发展。这时，老儒陶安来见朱元璋。朱元璋便向他请教过江后的方略。陶安称赞朱元璋胸怀济世安民大志，不像其他拥兵割据的人胸无大志，只知抢掠妇女、财物，预言朱元璋一定能平定天下。他建议大军渡过长江，占领太平（今安徽当涂）后，应该迅速夺取龙蟠虎踞的金陵，作为平定天下的根据地。朱元璋很同意陶安的意见。

朱元璋迅速渡过长江，攻取了和州对岸的太平，接着，他挥军向集庆（今江苏南京）、也就是陶安说的金陵发动进攻。

这时，郭子兴已病死。他的小儿子郭天叙被小明王封为都元帅，朱元璋被封为副元帅，但实权全操在朱元璋手里。打集庆时，郭天叙战死。郭部的所有人马便都集中到朱元璋手里，他的兵力又得到增强。

公元 1356 年，元朝的水军在采石矶被朱元璋歼灭，集庆城里元军投降，朱元璋胜利进入集庆。他将集庆改名应天，从此有了一块比较稳定的有发展前途的根据地。

但是，朱元璋感到自己力量还不够强大，所以尽管此时占据浙江、四川、湖广的张士诚、陈友谅、明玉珍等已纷纷称王称帝，朱元璋还只默默地壮大自己的力量，在太平，仅设立太平兴国翼元帅府；在金陵，只是称吴国公。

朱元璋还非常清楚粮食等物资对支持他的政权与军事活动的重要性。尽管军务繁忙，他每到一地，总要关心当地农业生产，鼓励种田养蚕。他安排军队屯田耕种，任命专管官员，负责修筑堤防，兴修水利，保证军粮的供应。

在徽州，朱元璋征求谋士朱升对他今后战略方针的意见，朱升说："高筑墙，广积粮，缓称王。"这实际总结了朱元璋一贯实行的方针，他非常的高兴。朱元璋正是在这一方针下，一步步完成统一中国的大业的。

鄱阳湖大战

zhonghuashangxiawuqiannian

当朱元璋的势力向南方发展的时候，首先遇到一个强敌是陈友谅。陈友谅原是徐寿辉起义军的部将，后来他谋杀了徐寿辉，自立为王，国号叫汉。他占据江西、湖南和湖北一带，地广兵多，建立了一个强大的割据政权。公元1360年，他率领强大的水军，从采石沿江东下，进攻应天府，一心想并吞朱元璋占领的地盘。

朱元璋赶忙召集部下商量对付汉军的办法。有的说，跟汉军的力量相差太大，不如趁早投降；有的主张逃到钟山（在今南京）死守；也有人主张拼一死战，如果失败，再逃不晚。大家七嘴八舌，议论纷纷。只有新来的谋士刘基站在一边，一声不吭。

朱元璋犹豫不决，散了会，把刘基单独留下来，问他有什么主意。刘基说："我看那些主张投降和逃走的人就该杀！"

朱元璋说："请问先生有什么办法打败敌人？"

刘基说："敌人远道来侵犯，我们以逸待劳，还怕不能取胜？您如果多用财物赏赐将士，再用一点伏兵，抓住汉军的弱点痛击，要打败陈友谅就大有希望。"

朱元璋听了刘基的话，满心喜欢。两个人又商量了一阵，把计策定了下来。朱元璋的部将康茂才跟陈友谅是老相识。朱元璋把康茂才找来，对他说："这次陈友谅来进攻，我要引他上钩，没有你帮助不行。请你写封信给陈友谅，假装投降，答应做他的内应；再给他一点假情报，要他兵分三路攻打应天，分散他的兵力。"

康茂才说："这事不难。我家有个守门的老仆，给陈友谅当过差。派他送信去，陈友谅准不会怀疑。"

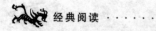

康茂才回到家里，按照朱元璋的吩咐写了信，连夜叫老仆赶到采石，求见陈友谅。陈友谅见了老仆送来的信，果然并不怀疑，问老仆说："康公现在哪里？"

老仆回答说："现在他带了一支人马，驻守江东桥，专等大王去。"陈友谅连忙又问："江东桥是啥样子？"

老仆说："是座木桥，容易认得出来。"

陈友谅跟老仆谈了一阵，吩咐左右摆上酒菜，让老仆饱饱地吃了一顿，才打发他回去。临走的时候，陈友谅对老仆说："你回去跟康公说，我马上就去江东桥，到了桥边，我叫几声'老康'，请他马上接应。"

老仆回去后，把陈友谅的话全向朱元璋回报了。朱元璋连声叫好，当夜派人把江东的木桥拆掉，改成一座石桥。

朱元璋从陈友谅的逃兵那儿得到情报，弄清楚他们进攻的路线，就让大将徐达、常遇春等分几路在沿江几个重要关口埋伏了人马。朱元璋亲自统率大军守在卢龙山（今南京狮子山），布置兵士准备好红黄两面旗帜，规定了信号：举起红旗就是通知敌人已经到来，举起黄旗就是命令伏兵出击。一切都准备好了，只等陈友谅自投罗网。

陈友谅自从老仆走后，立刻下令全体水军出发，由他亲自带领，直驶江东桥。哪想到到了约定地点，竟没见木桥，只有石桥。陈友谅的部将们都起了疑心。陈友谅想，别管他是石桥还是木桥，只要找到康茂才就好。他就到石桥旁边，一连喊了几声"老康"，也没人答应。陈友谅这才想到自己上了当，急忙命令船队撤退。

朱元璋发现敌人中计，立刻叫兵士举起黄旗，发动进攻。一霎间，战鼓齐鸣，岸上伏兵一起杀出，水港里的水军也加入战斗。

陈友谅受到突然袭击，几万大军一下子乱了套，被杀死的和落水淹死的数也数不清，两万兵士、一百多艘战船被朱元璋的将士俘获。陈友谅在部将保护下，抢了一条小船，总算逃了命。

这一仗打得陈友谅大伤元气。朱元璋的声势却越来越大。陈友谅哪肯甘心，他养精蓄锐，决心要报这个仇。过了三年，他造了大批战船，又带领六十万大军，进攻洪都（今江西南昌）。

朱元璋亲自带领二十万大军援救洪都，陈友谅才撤去包围，把水军全部撤到鄱阳湖。朱元璋把鄱阳湖出口封锁起来，堵住敌人，决定跟陈友谅在湖里决战。

陈友谅的水军有大批战船，又高又大，一字儿排开，竟有十几里长；朱元璋的水军，却尽是一些小船，论实力比陈友谅差得多。双方连续打了三天，朱军都失败了。

部将郭兴跟朱元璋说："双方的兵力相差太远，靠打硬仗不行，非用火攻不可。"

朱元璋立刻命令用七条小船，装载着火药，每条船尾带着一条轻快的小船。那天傍晚，正好刮起了东北风，朱元璋派了一支敢死队驾驶这七条小船，乘风点火，直冲陈友谅大船。风急火烈，一下子就把汉军大船全部延烧起来，火焰腾空，把湖水照得通红。陈友谅手下的将士不是被烧死，就是被俘虏。

陈友谅带着残兵败将向鄱阳湖口突围。但是湖口早已被朱元璋堵住。在陈友谅突围的时候，朱军一阵乱箭，把陈友谅射死。

朱元璋消灭了南方最大的割据势力陈友谅以后，自称吴王。

自从刘福通牺牲以后，朱元璋把小明王接到滁州，名义上还接受小明王的领导。到了这时候，他做皇帝的思想膨胀起来，觉得留着小明王对他是个障碍。公元1366年，他用船把小明王接到应天，趁小明王在瓜步（今江苏六合东南）过江的时候，派人暗暗凿沉了船，把小明王淹死。

第二年，朱元璋消灭了张士诚割据势力，接着，命令徐达为征虏大将军，常遇春为副将军，率领二十五万大军北伐。过了两个月，徐达的军队旗开得胜，占领了山东。公元1368年正月，朱元璋在应天即位称皇帝，国号叫明。他就是明太祖。

明军乘胜进军，元兵节节败退。这年八月，徐达率领大军直捣大都，元顺帝逃往上都。统治中国九十七年的元王朝终于被推翻。

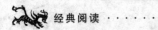

燕王进南京

zhonghuashangxiawuqiannian

明太祖一面杀了一些权位很高的大臣，一面把他的二十四个儿子分封到各地为王。其中一部分藩王还拥有军队。明太祖认为这样做，可以巩固他建立的明王朝的统治，哪料到后来反引起了一场大乱。

明太祖六十多岁的时候，太子朱标死了，朱标的儿子朱允炆（wén）以长孙的地位，被立为皇太孙。各地的藩王大都是朱允炆的叔父，眼看皇位的继承权落到侄儿手里，心里不舒服。特别是明太祖的第四个儿子——燕王朱棣（dì）一向带兵驻守北平（今北京市），多次立过战功，对朱允炆更不服气。

朱棣在明太祖的儿子中是比较精明能干的。据说有一次，明太祖叫朱允炆对对子，出的上联是"风吹马尾千条线"，朱允炆对的下联是"雨打羊毛一片膻（shān）。"明太祖嫌他对的不好，马上沉下了脸。朱棣正好在旁边，就接嘴说："孩儿倒也想了一个下联。"明太祖叫他说来听听。朱棣说："日照龙鳞万点金。"原来龙是皇帝的象征。朱棣的对语，无非是想讨明太祖的欢心。明太祖听了，连声夸奖朱棣对得好。朱棣也就更不把朱允炆放在眼里了。

朱允炆虽然老实，对朱棣瞧不起他，毕竟还看得出来。皇太孙的东宫里，有个官员叫黄子澄，是朱允炆的伴读老师。有一次，朱允炆一个人坐在东角门口，皱起眉头长叹气。黄子澄见他心事重重，问太孙为什么发愁。朱允炆说："现在几个叔父手里都有兵权，将来怎么管得了他们。"

黄子澄跟朱允炆讲了一个西汉平定七国之乱的故事，接着说：

"当时吴楚七国诸侯这样强大,但是到他们发动叛乱,汉景帝一出兵,他们就垮了。殿下是皇上嫡孙,将来也不怕他们造反。"朱允炆听了,心总算放宽了一点。

公元1398年,明太祖死去,皇太孙朱允炆即位,这就是明惠帝,历史上又叫建文帝(建文是年号)。当时京城里就听到谣传,说几位藩王正在互相串联,准备谋反。建文帝听了这消息害怕起来,把黄子澄找来说:"先生可记得那次在东角门说的话吗?"

黄子澄说:"陛下放心,我怎么会忘记呢!"

黄子澄退出宫门,就找建文帝另一个亲信大臣齐泰一起商量。齐泰认为诸王之中,燕王兵力最强,野心又大,应该首先消除燕王的权力。黄子澄不赞成这个做法,他认为燕王早有准备,先从他下手,容易打草惊蛇,不如先向燕王周围的藩王下手。周王是燕王的弟弟,他的封地在开封。如果先把周王除掉,就好比砍掉燕王的翅膀,下一步再除掉燕王就不难了。两人商量停当,就向建文帝回奏。建文帝听了很高兴,就找个由头派兵到河南把周王抓起来押到南京,削去王位,充军到云南。接着,又查出三个藩王有不法行为,把他们一个个削去王位。

燕王早就暗中练兵,准备谋反。为了麻痹建文帝,他假装发了精神病,成天胡言乱语,有时候还躺在地上,几天不起来。建文帝派使臣去探病,那时候正是大热天,燕王却坐在火炉边烤火,嘴里还不停地叫冷。使臣一回报,建文帝也相信燕王真的病了。

但是齐泰、黄子澄却怀疑燕王装病,他们一面派人到北平把燕王的家属抓起来,一面又秘密命令北平都指挥使张信带兵逮捕燕王,还约定燕王府的一些官员当内应。不料张信是站在燕王一边的,反向燕王告密。

燕王得到消息,就把王府里充当建文帝内应的官员全抓起来,宣布起兵。燕王是个精明人,知道建文帝毕竟是法定的皇帝,公开反叛,对自己不利,就找个起兵的理由,说要帮助建文帝除掉奸臣黄子澄、齐泰。历史上把这场内战叫做"靖难之变"(靖难是

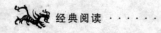

平定内乱的意思）。

燕王本来有带兵打仗的经验，手下有一支经过训练的精兵。他起兵南下，很快攻下了一些据点，许多州县的官员纷纷投降。建文帝害怕起来，撤了齐泰、黄子澄的职，想要燕王退兵。燕王哪肯罢休。

这场内战，差不多打了三年，到了公元1402年，燕军在淮北遇到朝廷派出的南军的抵抗，打得十分激烈。有些燕军将领主张暂时撤兵，燕王说："这次进军，只能进，不能退！"

没多久，燕军截断南军运粮的通道，发起突然袭击。南军就一败涂地了。

燕军势如破竹，进兵到应天城下。建文帝见形势紧急，一面要将士拼死守城，一面派人向燕王求和，愿意割让土地，请求燕王退兵，又遭到燕王的拒绝。过了几天，守卫京城的大将李景隆打开城门投降，京城终于被燕军攻破。

燕王带兵进城，只见皇宫大火熊熊，正在燃烧。燕王赶快派兵把大火扑灭，已经烧死了不少人。他查问建文帝的下落，有人报告说，燕兵进城之前，建文帝下命令放火烧宫，建文帝和皇后都跳到大火里自杀了。

燕王朱棣即位，这就是明成祖。到了公元1421年，明成祖迁都北京。打那时候起，北京一直成为明朝的京城。

郑和下西洋

　　明成祖用武力从他侄儿手里夺得了皇位，有一件事总使他心里不大踏实。皇宫大火扑灭之后，并没有找到建文帝的尸体。那么建文帝到底是不是真的死了？京城里传说纷纷，有的说建文帝并没有自杀，趁宫里起火混乱的时候，带着几个侍从太监从地道里逃出城外去了；别的地方传来的消息更离奇，说建文帝到了什么什么地方，后来还做了和尚，说得有鼻子有眼睛，使明成祖不得不怀疑。他想，如果建文帝真的没死，万一他在别的地方重新召集人马，用朝廷的名义讨伐他，岂不可怕。为了把这件事查个水落石出，他派了心腹大臣，到各地去秘密查问建文帝的下落，但是又不好公开宣布，就借口说是求神仙。这一找，就找了二三十年。

　　明成祖又想，建文帝会不会跑到海外去呢？那时候，我国的航海事业已经开始发展起来。明成祖心想，派人到海外去宣扬国威，跟外国人做点生意，采购一些珠宝，顺便探听一下建文帝的下落，岂不是一举两得。

　　这样，他就决定派一支队伍，出使国外。让谁来带这支队伍呢？当然非得是自己的心腹不可。他想到跟随他多年的宦官郑和，倒是个挺合适的人选。

　　郑和，原来姓马，小名叫三保，出生在云南一个回族家庭里。他的祖父、父亲都信奉伊斯兰教，还到麦加（伊斯兰教的主要圣地，在今沙特阿拉伯）去朝过圣。郑和小时候就从父亲那里听说过外国的一些情况。后来，他进燕王宫里当了太监，因为他聪明能干，得到明成祖的信任。这郑和的名字还是明成祖给他起的。但

是民间把他的小名叫惯了，所以一直把他叫做"三保太监"，后来，有的书上也写成"三宝太监"。公元1405年六月，明成祖正式派郑和为使者，带一支船队出使"西洋"。那时候，人们叫的"西洋"，并不是指欧洲大陆，而是指我国南海以西的海和沿海各地。郑和带的船队，一共有二万七千八百多人，除了兵士和水手外，还有技术人员、翻译、医生等。他们乘坐六十二艘大船，这种船长四十四丈，阔十八丈，在当时是少见的。船队从苏州刘家河（今江苏太仓浏河）出发，经过福建沿海，浩浩荡荡，扬帆南下。

郑和第一次出海，先到了占城（在今越南南方）接着又到爪哇、旧港（在今印度尼西亚苏门答腊岛东南岸）、苏门答腊、满剌加、古里、锡兰等国家。他带着大批金银财物，每到一个国家，先把明成祖的信递交国王，并且把带去的礼物送给他们，希望同他们友好交往。许多国家见郑和带了那么大的船队，态度友好，并不是来威吓他们，都热情地接待他。

郑和这一次出使，一直到第三年九月才回国。西洋各国国王趁郑和回国，也都派了使者带着礼物跟着他一起回访。在出使的路上，虽然遇到几次惊涛骇浪，但是船上有的是经验丰富的老水手，船队从没出过事。只是在船队回国、经过旧港的时候，却遇到了一件麻烦事。

旧港地方有个海盗头目，名叫陈祖义。他占据了一个海岛，纠集了一支海盗队伍，专门抢劫过往客商的财物。这回听到郑和船队带着大批宝物经过，分外眼红，就和同伙计议，表面上准备迎接，趁郑和不防备，就动手抢劫。这个计谋被当地人施进卿得知，他偷偷地派人到船队告诉了郑和。

郑和心想，我手下有二万兵士，还怕你小小海盗？既然你要来偷袭，就非得给你点教训不可。他命令把大船散开，在旧海港口停泊下来。命令船上的兵士准备好火药、刀枪，严阵以待。

夜深的时候，海面上风平浪静，陈祖义带领一群海盗乘着几十艘小船直驶港口，准备偷袭。只听到郑和坐的船上一声火炮响，周围的大船都驶拢来，把陈祖义的海盗船围住。明军人多势大，早有准备，把陈祖义杀得大败。大船上的兵士丢下火把，把海盗船烧着了。陈祖义想逃也逃不了，只好乖乖地当了俘虏。

郑和把陈祖义捆绑了起来，押回中国。到了京城，向明成祖献上了俘虏。各国的使者也会见了明成祖，送上大批珍贵的礼物。明成祖见郑和把出使的任务完成得很出色，高兴得眉开眼笑。

后来，明成祖相信建文帝确实是死了，没有必要再去寻找。但是出使海外的事，既能提高国家的威望，又能促进跟西洋各国的贸易往来，好处很多。所以打那以后，一次又一次派郑和带领船队下西洋。从公元1405年到1433年的将近三十年里，郑和出海七次，前前后后一共到过印度洋沿海三十多个国家，最远到达非洲的木骨都束国（在今索马里的摩加迪沙一带）。

到郑和第六次出使回国的那年，明成祖得病死了。他的儿子明仁宗朱高炽即位后，不到一年也死了。继承皇位的明宣宗朱瞻基，是一个八九岁的孩子，由祖母徐太后和三个老臣掌权。大臣们认为郑和出使七次，国家花费太大，到国外航行的事业就停了下来。

郑和的七次航行，表现了我国古代人民顽强的探索精神，也说明当时我国航海技术已经有很高的水平。通过郑和出使，促进了我国和亚非许多国家的经济文化交流和友好往来。直到现在，那些国家里还流传着三保太监的事迹。

——土木堡的惨败——

明太祖在位的时候，吸取了历史上宦官专权引起国家混乱的教训，立下一条规矩，不让宦官过问国家政事。他把这条规矩写在大铁牌上，挂在宫里，想要他的子孙世世代代遵守。但是到明成祖的时候，这条规矩就给废除了。

明成祖从他侄儿手里夺得皇位，怕大臣反对他，特别信任身边的宦官，在他迁都北京以后，就在东安门外设立"东厂"，专门刺探大臣和百姓当中有没有谋反嫌疑的人。他怕外面的大臣靠不住，让亲信太监做东厂提督。这样，宦官的权力渐渐大起来。到了明宣宗的时候，连皇帝批阅奏章，也交给一个宦官代笔，叫做司礼监。这一来，宦官的权力更大了。有一年，皇宫招收一批太监。蔚州（今河北蔚县，蔚 yù）地方的一个流氓，名叫王振，年轻的时候读过一点书，参加几次科举考试没考取，在县里当教官，后来因为犯罪，本来该充军，他听说皇宫招太监，就自愿进宫做了太监。宫里识字的太监不多，只有王振粗通文字，大家都叫他王先生。后来，明宣宗派他教太子朱祁镇读书。朱祁镇年幼爱玩，王振想出各种各样法子让他玩得痛快，朱祁镇挺喜欢他。

明宣宗死后，刚满九岁的太子朱祁镇即位，这就是明英宗。王振当上司礼监，帮助明英宗批阅奏章。明英宗一味追求玩乐，根本不问国事。王振趁机把朝廷军政大权抓在手里。朝廷大员谁敢得罪王振，不是被撤职，就是充军。一些王公贵戚都讨王振的好，称呼他"翁父"。王振的权力可算顶了天了。

这个时候，我国北方蒙古族的瓦剌（là）部强大起来。公元

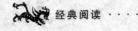

1449 年，瓦剌首领也先派三千名使者到北京，进贡马匹，要求赏金。王振发现也先谎报人数，削减了赏金和马价。也先为他的儿子向明朝求婚，也被王振拒绝。这一来激怒了也先，也先率领瓦剌骑兵进攻大同。守大同的明将出兵抵抗，被瓦剌军打得大败。

边境的官员向朝廷告急，明英宗慌忙召集大臣商量怎么对付。大同离开王振家乡蔚州不远，王振在蔚州有大批田产，他怕蔚州被瓦剌军侵占，竭力主张英宗带兵亲征。兵部尚书（兵部尚书和侍郎是军事部门的正副长官）邝埜（kuàng　yě，埜同野）和侍郎于谦认为朝廷没充分准备，不能亲征。明英宗是个没主见的人，王振怎么说，他就怎么做，不管大臣劝谏，就冒冒失失决定亲征。

明英宗叫他弟弟郕（chéng）王朱祁钰（yù）和于谦留守北京，自己跟王振、邝埜等官员一百多人，带领五十万大军从北京出发，浩浩荡荡向大同赶去。

这次出兵，本来从没好好准备，军队纪律涣散。一路上又遇到大风暴雨，没有走几天，粮食就接济不上，兵士们又饿又冷，还没有碰上瓦剌兵，已经叫苦连天。到了大同附近，兵士们看到郊外的田野里，到处都横着明军兵士的尸体，更加人心惶惶。有个大臣发现士气低落，劝英宗退兵，被王振臭骂一顿，还罚跪了一天。

过了几天，明军前锋在大同城边被瓦剌军杀得全军覆没，各路明军纷纷溃退下来。到了这时候，王振感到情况危急，才下令退兵回北京。退兵本来是越快越好，但是王振却想到他老家蔚州去摆摆威风，劝英宗到蔚州去住几天。几十万将士离开大同，往蔚州方向跑了四十里地。王振又转念一想，这么多的兵马到蔚州，他家庄田里的庄稼岂不要遭到损失，又匆匆忙忙下命令往回走。这样一折腾，拖延了撤兵的时间，被瓦剌的追兵赶上了。

明军一面抵抗，一面败退，一直退到土木堡（在今河北怀来东）。那时候，太阳刚刚下山，有人劝英宗趁天没黑，再赶一阵，进了怀来城（今河北怀来）再休息，瓦剌军赶来，也可以坚守。可是王振却因为装运他财产的几千辆车子还没到，硬要大军在土木堡停下来。土木堡名称叫做堡，其实没有什么城堡可守。明军大队人马赶了几天路，口渴得像火烧，但是土木堡没有水源。离开土木堡十五里的地方有条河，已经被瓦剌军占领了。兵士们就地挖井，挖了两丈深，也没找到水。

第二天，天刚蒙蒙亮，瓦剌军赶到土木堡，把明军紧紧包围起来。明英宗知道没法突围，只好派人向也先求和。也先一打听，明英宗带的明军人数还不少，要打硬仗，自己也要遭到损失，就假装答应议和，停止进攻。

明英宗和王振信以为真，十分高兴，下命令让兵士到附近找水喝。兵士们争先恐后跳出壕沟往河边跑，乱成一团，将领们要制止也制止不了。

这时候，早就埋伏好的瓦剌军兵士从四面八方冲杀过来，个个抢起长刀，大声吆喝着："投降的不杀！"

明军兵士一听，纷纷丢盔弃甲，狂奔乱逃。瓦剌军紧紧追赶，被杀的和被乱兵踩死的，不计其数。邝埜也在混乱中被杀死。

明英宗和王振带着一批禁军，几次想突围都没冲出去。平时作威作福的王振，这时候却吓得直发抖。禁军将领樊忠，早就恨透了这个祸国殃民的奸贼，气愤地说："我为天下百姓杀死你这个奸贼。"说着，抡起手里的大铁锤，朝着王振脑门一锤砸去，结果了王振的性命。樊忠自己冲向瓦剌军，拼杀了一阵，中枪倒下。

明英宗眼看脱逃没有希望，只好跳下马来，盘着腿坐在地上等死。瓦剌兵赶上来，俘虏了明英宗。历史上把这次事件称作"土木之变"。

经过这一场战斗，五十万明军，损失了一大半，明王朝元气大伤。瓦剌首领也先却更加骄横起来，北京也受到了瓦剌军的威胁。守卫京城的责任，就落在英宗的弟弟郕王朱祁钰和于谦的身上了。

于谦保卫北京

明朝五十万大军在土木堡全线崩溃，消息传到北京，太后和皇后急得哭哭啼啼，从宫里内库捡出大量金银珍宝、绫罗绸缎，偷偷派太监带着财宝去寻找瓦剌军，想把英宗赎回来。结果，当然是毫无希望。

从土木堡逃出来的伤兵，断了手的，缺了腿的，陆续在北京街道出现了。京城里人心惶惶，谁也不知道皇帝下落怎样。再说，京城里留下的人马不多，瓦剌军来了怎么抵挡呢？

为了安定人心，皇太后宣布由郕王朱祁钰监国（就是代理皇帝的职权），并且召集大臣，商量怎么对付瓦剌。大臣们七嘴八舌，不知怎么办才好。大臣徐有贞说："瓦剌兵强，怎么也抵挡不住。我考察天象，京城将遭到大难、不如逃到南方去，暂时避一下，再作打算。"

兵部侍郎于谦神情严肃地向皇太后和郕王说："谁主张逃跑的，应该砍头。京城是国家的根本，如果朝廷一撤出，大势就完了。大家难道忘掉了南宋的教训吗？"于谦的主张得到许多大臣的支持，太后决定叫于谦负责指挥军民守城。

于谦是明朝著名的民族英雄，浙江钱塘（今杭州）人。他自小有远大的志向。小时候，他的祖父收藏了一幅文天祥的画像。于谦十分钦佩文天祥，把那幅画像挂在书桌边，并且题上词，表示一定要向文天祥学习。长大以后，他考中进士，做了几任地方官，严格执法、廉洁奉公；后来担任河南巡抚，奖励生产，救济灾荒，比较注意人民疾苦。

王振专权的时候，贪污成风，地方官进京办事，总要先送白银贿赂上司，只有于谦从来不送礼品。有人劝他说："您不肯送金银财宝，难道不能带点土产去？"于谦甩动他的两只袖子，笑着说："只有清风。"他还写了一首诗，表明自己的态度，诗的后面两句是："清风两袖朝天去，免得闾阎话短长。"（后句的意思是免得被人说长道短，闾阎就是里巷。"两袖清风"的成语就是这样来的。）

因为于谦刚正不阿，得罪了王振，王振就指使同党诬告于谦，把于谦打进监牢，还判了死刑。河南、山西的地方官员和百姓听到于谦被诬陷的消息，成千上万的人联名向明英宗请愿，要求释放于谦。王振一伙一看众怒难犯，又抓不住于谦什么把柄，只好释放了于谦，恢复了他的原职；后来，又被调到北京担任兵部侍郎。

这一回，在京城面临危急的时刻，于谦毅然担负起守城的重任。他一面加紧调兵遣将，加强京城和附近关口的防御兵力；一面整顿内部，逮捕了一批瓦剌军的奸细。

有一天，监国的郕王朱祁钰上朝，大臣们纷纷要求宣布王振罪状。朱祁钰不敢做主。有个宦官马顺，是王振的同党，见大臣们不肯退朝，吆喝着想把大臣赶跑。这下激怒了大臣。有个大臣冲上去揪住马顺，大伙赶上来，一阵拳打脚踢，就把马顺揍死了。

朱祁钰见到朝堂大乱，想躲进内宫，于谦拦住他说："王振是这次战争失败的罪魁祸首，不惩办不能平民愤。陛下只要宣布王振罪状，大臣们就心安了。"

朱祁钰听了于谦的话，下令抄了王振的家，惩办了一些王振的同党，人心渐渐安定下来。

瓦剌首领也先俘虏了明英宗，没把他杀死，却挟持着英宗当人质，不断骚扰边境。看来，京城里没有皇帝不好办。于谦等大臣请太后正式宣布让朱祁钰做皇帝，被俘虏的明英宗改称太上皇。朱祁钰这才即位称帝，这就是明代宗（又叫景帝）。也先知道明朝决心抵抗瓦剌，就以送明英宗回朝为借口，大举进犯北京。

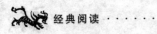

这一年十月，瓦剌军很快打到北京城下，在西直门外扎下营寨。于谦立刻召集将领商量对策。大将石亨认为明军兵力弱，主张把军队撤进城里，然后把各道城门关闭起来防守，日子一久，也许瓦剌会自动退兵。

于谦说："敌人这样嚣张。如果我们向他们示弱，只会助长他们的气焰。我们一定要主动出兵，给他们一个迎头痛击。"接着，他分派将领带兵出城，在京城九门外摆开阵势。

于谦在城外把各路人马布置好后，他亲自率领一支人马驻守在德胜门外，叫城里的守将把城门全部关闭起来，表示有进无退的决心。并且下了一道军令：将领上阵，丢了队伍带头后退的，就斩将领；兵士不听将领指挥，临阵脱逃的，由后队将士督斩。

将士们被于谦的勇敢坚定的精神感动了，士气振奋，斗志昂扬，下决心跟瓦剌军拼死战斗，保卫北京。

这时候，各地的明军接到朝廷的命令，也陆续开到北京支援。城外的明军增加到二十二万人。明军声势浩大，戒备森严，也先发动几次进攻，都遭到明军奋勇阻击。城外的百姓也配合明军，跳上屋顶墙头，用砖瓦投掷敌人。经过五天的激战，瓦剌军死伤惨重。

也先遭到严重损失，又怕退路被明军截断，不敢再战，就带着明英宗和残兵败将撤退。于谦等明英宗去远了，就用火炮轰击，又杀伤了一批瓦剌兵。北京城保卫战，取得了辉煌的胜利。

于谦立了大功，受到了北京军民的爱戴。明代宗十分敬重他。于谦家的房屋简陋，只能遮蔽风雨，明代宗给他造一座府第，于谦推辞了。他说："现在正是国难当头的时候，怎么能贪图享受呢？"也先失败后，知道扣住明英宗也没有用处。就把明英宗放回北京。

于谦一心保卫国家，但是那个在北京危急的日子里主张逃跑的徐有贞，还有被于谦责备过的大将石亨，都对他怀恨在心，在暗地里想法报复。

英宗回北京后过了七年，也就是公元1457年，明代宗生了一场大病，徐有贞、石亨跟宦官勾结起来，带兵闯进皇宫，迎明英宗朱祁镇复位。历史上把这件事称作"夺门之变"。没多久，明代宗就死了。

明英宗复位后，对于谦在他被俘流亡的时候，帮他弟弟即位称帝，心里本来有气，再加上徐有贞、石亨一伙在他面前说了不少诬陷的话，竟下了狠心，给于谦加上个"谋反"的罪名，把于谦杀害。

北京的百姓听到于谦受冤被害，不论男女老少，个个伤心痛哭。人们传诵着于谦年轻时候写的一首《咏石灰》的诗：

"千锤万凿出深山，烈火焚烧若等闲。

粉骨碎身浑不怕，要留清白在人间！"

人们认为，这正是于谦一生的写照。

杨一清计除刘瑾

zhonghuashangxiawuqiannian

　　土木之变以后，明王朝开始衰落。明英宗以后的几代皇帝，都昏庸腐败。他们不可能吸取王振误国的教训，一味依赖宦官。宦官专政的局面越来越严重。明宪宗朱见深（英宗的儿子）在位的时候，宦官汪直专权，在东厂以外，又设了一个西厂，加强特务统治，冤死不少好人。

　　公元 1505 年，明武宗朱厚照即位。他身边有八个宦官，经常陪伴他打球骑马，放鹰猎兔，为首的叫刘瑾。明武宗贪图玩乐，觉得刘瑾等称他的心意，十分宠信他们。这八个宦官依仗皇帝的势，在外面胡作非为。人们把他们称为"八虎"。

　　一些大臣向武宗劝谏，要求武宗铲除"八虎"。刘瑾等得到消息，就在武宗面前哭诉。明武宗不但不听大臣劝谏，反而提升刘瑾为司礼监，又让刘瑾两个同党分别担任东厂、西厂提督。

　　刘瑾大权在手，就下令召集大臣跪在金水桥前，宣布一大批正直的大臣是"奸党"，把他们排挤出朝廷。

　　刘瑾每天给武宗安排许多寻欢作乐的事，等武宗玩得正起劲的时候，他把大臣的许多奏章送给武宗批阅。明武宗很不耐烦，说："我要你们干什么？这些小事都叫我自己办？"说着，就把奏章撂给刘瑾。

　　打这以后，事无大小，刘瑾不再上奏。他假传明武宗的意旨，独断专行。刘瑾自己不通文墨，他把大臣的奏章全带回家里，让他的亲戚、同党处理。一些王公大臣，知道送给明武宗的奏章，皇上是看不到的。因此，有什么事上奏，就先把复本送给刘瑾，再把正本送给朝廷。民间流传着一种说法："北京城里有两个皇帝：一个坐皇帝，一个立皇帝；一个朱皇帝，一个刘皇帝。"

刘瑾怕人反对，派出东厂、西厂特务四出刺探；还在东厂、西厂之外，设一个"内行厂"，由他直接掌管，连东厂、西厂的人，也要受内行厂监视。被这些特务机构抓去的人，都受到残酷刑罚，被迫害致死的有几千人，民间怨声载道。

刘瑾还利用权势，敲诈勒索，接受贿赂。地方官员到京都朝见，怕刘瑾给他找麻烦，先得给刘瑾送礼，一次就送二万两银子。有的官员进京的时候没带那么多钱，不得不先向京城的富豪借高利贷，回到地方后才偿还。当然，这笔负担全转嫁到老百姓身上了。

公元1510年，安化王朱寘鐇（zhì fán）以反对刘瑾为名，发兵谋反。明武宗派杨一清起兵讨伐朱寘鐇，派宦官张永监军。

杨一清原是陕西一带的军事统帅，在训练士卒、加强边防方面立过功。因为他为人正直，不附和刘瑾，被刘瑾诬陷迫害，后来经大臣们营救，才被释放回乡。这回明武宗为了平定藩王叛乱，才重新起用他。

杨一清到了宁夏，叛乱已经被杨一清原来的部将平定，杨一清、张永俘虏了朱寘鐇，押解到北京献俘。

杨一清早就有心除掉刘瑾，他打听到张永原是"八虎"之一，刘瑾得势以后，张永跟刘瑾也有矛盾，就决心拉拢张永。回京的路上，杨一清找张永密谈，说："这次靠您的大力，平定了叛乱，这是值得高兴的事。但铲除一个藩王容易，内患却不好解决，怎么办？"张永惊异地说："您说的内患是什么？"

杨一清把身子靠近张永，用右手指在左掌心里写了一个"瑾"字。张永一看，皱起眉头说："这个人每天在皇上身边，耳目众多，要铲除他可难啊！"

杨一清说："您也是皇上亲信。这次凯旋回京，皇上一定会召见您。趁这个机会您把朱寘鐇谋反的起因奏明皇上，皇上一定会杀刘瑾。如果大事成功，您就能名扬后世啦！"

　　张永心里犹豫了一下，说："万一不成功，怎么办？"杨一清说："如果皇上不信，您可以痛哭流涕，表明忠心，大事一定能成功。不过这件事一定要动手得快，晚了怕泄漏事机。"

　　张永本来对刘瑾不满，经杨一清一怂恿，胆子也壮了起来。到了北京，张永按杨一清的计策，当夜在武宗面前揭发刘瑾谋反。明武宗命令张永带领禁军捉拿刘瑾。刘瑾毫无防备，正躺在家里睡大觉，禁军一到，就把他逮住，打进大牢。

　　明武宗派禁军抄了刘瑾的家，抄出黄金二十四万锭，银元宝五百万锭，珠玉宝器不计其数；还抄出了龙袍玉带，盔甲武器。明武宗这才大吃一惊，把刘瑾判处死刑。

　　刘瑾虽然被杀，但是明武宗的昏庸腐败却是无可救药的。他杀了刘瑾之后，又宠信了一个名叫江彬的武官，在江彬的教唆下，他多次离开北京到宣府（今河北宣化）寻欢作乐。把朝政大权交给江彬，江彬又趁机贪污受贿，排斥好人。

　　由于明王朝的腐败统治，土地兼并十分严重，百姓的赋税和劳役负担更加繁重，农民起义此起彼伏。公元 1510 年，北京附近爆发刘六、刘七领导的起义。这次起义延续两年，起义军横扫河北、山东、山西等八个省，四次逼近北京，给腐朽的明王朝一次沉重的打击。

海瑞刚正不阿

在严嵩掌权的日子里，别说是严家父子，就是他们手下的同党，也没有一个不是依官仗势，作威作福的。上至朝廷大臣，下至地方官吏，谁都让他们几分。

可是在浙江淳安县里，有一个小知县，却能够秉公办事，对严嵩下面的同党，一点不讲情面。他的名字叫海瑞。

海瑞是广东琼山人。他从小死了父亲，靠母亲抚养长大，家里生活十分贫苦。二十多岁他中了举人后，做过县里的学堂教谕，教育学生十分严格认真。不久，上司把他调到浙江淳安做知县。过去，县里的官吏审理案件，大多是接受贿赂，胡乱定案的。海瑞到了淳安，认真审理积案。不管什么疑难案件，到了海瑞手里，都一件件调查得水落石出，从不冤枉好人。当地百姓都称他是"青天"。

海瑞的顶头上司浙江总督胡宗宪，是严嵩的同党，仗着他有后台，到处敲诈勒索，谁敢不顺他心，就该谁倒霉。

有一次，胡宗宪的儿子带了一大批随从经过淳安，住在县里的官驿里。要是换了别的县份，官吏见到总督大人的公子，奉承都来不及。可是在淳安县，海瑞立下一条规矩，不管大官贵戚，一律按普通客人招待。

胡宗宪的儿子，平时养尊处优惯了，看到驿吏送上来的饭菜，认为是有意怠慢他，气得掀了饭桌子，喝令随从，把驿吏捆绑起来，倒吊在梁上。

驿里的差役赶快报告海瑞。海瑞知道胡公子招摇过境，本来已经感到厌烦；现在竟吊打起驿吏来，就觉得非管不可了。

　　海瑞听完差役的报告，装作镇静地说："总督是个清廉的大臣。他早有吩咐，要各县招待过往官吏，不得铺张浪费。现在来的那个花花公子，排场阔绰，态度骄横，不会是胡大人的公子。一定是什么地方的坏人冒充公子，到本县来招摇撞骗的。"

　　说着，他立刻带了一大批差役赶到驿馆，把胡宗宪儿子和他的随从统统抓了起来，带回县衙审讯。一开始，那个胡公子仗着父亲的官势，暴跳如雷，但海瑞一口咬定他是假冒公子，还说要把他重办，他才泄了气。海瑞又从他的行装里，搜出几千两银子，统统没收充公，还把他狠狠教训一顿，撵出县境。

　　等胡公子回到杭州向他父亲哭诉的时候，海瑞的报告也已经送到巡抚衙门，说有人冒充公子，非法吊打驿吏。胡宗宪明知道他儿子吃了大亏，但是海瑞信里没牵连到他，如果把这件事声张起来，反而失了自己的体面，就只好打落门牙往肚子里咽了。

　　过了不久，又有一个京里派出的御史鄢懋卿（鄢 yān，懋 mào）被派到浙江视察。鄢懋卿是严嵩的干儿子，敲诈勒索的手段更狠。他到一个地方，地方官吏要是不"孝敬"他一笔大钱，他是不肯放过的。各地官吏听到鄢懋卿要来视察的消息，都犯了愁。但是鄢懋卿偏又要装出一副奉公守法的样子，他通知各地，说他向来喜欢简单朴素，不爱奉迎。

　　海瑞听说鄢懋卿要到淳安，给鄢懋卿送了一封信去，信里说："我们接到通知，要我们招待从简。可是据我们得知，您每到一个地方都是大摆筵席，花天酒地。这就叫我们为难啦！要按通知办事，就怕怠慢了您；要是像别地方一样铺张，只怕违背您的意思。请问该怎么办才好。"

　　鄢懋卿看到这封信揭了他的底，直恼得咬牙切齿。但是他早听说海瑞是个铁面无私的硬汉，又知道胡宗宪的儿子刚在淳安吃过大亏，有点害怕，就临时改变主意，绕过淳安，到别处去了。

　　为了这件事，鄢懋卿对海瑞怀恨在心，后来，指使他的同党在明世宗面前狠狠告了海瑞一状，海瑞终于被撤了淳安知县的职务。

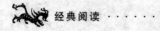

到严嵩倒了台，鄢懋卿也被充军到外地，海瑞恢复了官职，后来又被调到京城。

海瑞到了京城，对明世宗的昏庸和朝廷的腐败情况，见得更多了。那时候，明世宗已经有二十多年没有上朝，他躲在宫里一个劲儿跟一些道士们鬼混。一些朝臣谁也不敢说话。海瑞虽然官职不大，却大胆写一道奏章向明世宗直谏。他把明王朝造成的腐败现象痛痛快快地揭露出来。他在奏章上写道："现在吏贪官横，民不聊生。天下的老百姓对陛下早就不满了。"

海瑞把这道奏章送上去以后，自己估计会触犯明世宗，可能保不住性命。回家的路上，顺道买了一口棺材。他的妻子和儿子看到全吓呆了。海瑞把这件事告诉了亲人们，并且把他死后的事一件件交代好，把家里的仆人也都打发走了，准备随时被捕处死。

果然，海瑞这道奏章在朝廷引起了一场轰动。明世宗看了，又气又恨，把奏章扔在地上，跟左右侍从说："快把这个人抓起来，别让他跑了！"

旁边有个宦官早就听到海瑞的名声，跟明世宗说："这个人是个出名的书呆子，他早知道触犯了陛下活不成，把后事都安排了。我看他是不会逃走的。"

后来，明世宗还是下命令把海瑞抓了起来，交给锦衣卫严刑拷问，直到明世宗死去，海瑞才得到释放。

戚继光痛剿倭寇

公元 1553 年，在汉奸汪直、徐海的勾结下，倭寇集结了几百艘海船，在浙江、江苏沿海登陆，分成许多小股，抢掠了几十个城市。沿海的官吏和兵士不敢抵抗，见了倭寇就逃。

倭寇侵略越来越严重，使躲在深宫里的明世宗也不得不发愁了，叫严嵩想法子对付。严嵩的同党赵文华想出一个主意，说要解决倭寇侵犯，只有向东海祷告，求海神爷保佑。明世宗居然相信赵文华的鬼话，叫他到浙江去祷告海神。后来，朝廷派了个熟悉沿海防务的老将俞大猷（yóu）去抵抗。俞大猷一到浙江，就打了几个胜仗。但是不久，浙江总督张经被赵文华陷害，俞大猷也被牵连坐了牢。沿海的防务没人指挥，倭寇的活动又猖獗起来。朝廷把山东的将领戚继光调到浙江，才扭转了这个局面。

戚继光是我国历史上著名的民族英雄，山东蓬莱人。他到了浙江，先检阅那儿的军队，发现那些军队纪律松散，根本不能够打仗，就决心另外招募新军。他一发出招兵命令，马上有一批吃够倭寇苦的农民、矿工自愿参军，还有一些愿意抗倭的地主武装也参加了进来。戚继光组织的新军很快发展到四千人。

戚继光是个精通兵法的将领，他懂得兵士不经过严格训练是不能上阵的。他根据南方沼泽地区的特点，研究了阵法，亲自教兵士使用各种长短武器。经过他严格训练，这支新军的战斗力特别强。"戚家军"的名气就在远近传开了。

过了几年，倭寇又袭击台州（今浙江临海）一带，戚继光率领新军赶到台州。倭寇在哪里骚扰，他们就打到哪里。那些乱七

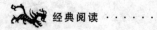

八糟的海盗队伍，哪儿是戚家军的对手，交锋了九次，戚家军一次次都取得胜利。最后，倭寇在陆地上待不住，被迫逃到海船上，戚继光又用大炮轰击。倭寇的船起了火，大批倭兵被烧死或掉到海里淹死，留在岸上的也只得乖乖投降。

倭寇见到浙江防守严密，不敢再侵犯。第二年，他们又到福建沿海骚扰。一路倭寇从温州往南，占据了宁德；另一路倭寇从广东往北，盘踞在牛田。两路敌人互相声援，声势很大。福州的守将抵挡不了，向朝廷告急。朝廷又派戚继光援救。戚继光带了新军赶到宁德，打听到敌人的巢穴在宁德城十里外的横屿岛。那儿四面是水，地形险要。倭寇在那儿扎了大营盘踞，当地明军也不敢去攻打他们。

戚继光亲自调查了横屿岛的地形，知道那条水道既不宽，又不深。当天晚上潮落的时候，戚继光命令兵士每人随身带一捆干草，到了横屿对岸，把干草扔在水里。几千捆干草扔在一起，居然铺出了一条路来。戚家军兵士踏着干草铺成的路，神不知鬼不觉地插进倭寇大营。经过一场激烈战斗，盘踞在岛上的二千多个倭寇全部被歼灭。戚家军攻下横屿，立刻又进兵牛田。到了牛田附近，戚继光传出命令，说："远路进军，人马疲劳，先就地休整再说。"

这些话很快传到敌人那里。牛田的倭寇真的相信戚家军暂时停止进攻，防备也就松懈下来。就在当天晚上，戚继光下令向牛田发起总攻击。倭兵毫无准备，匆促应战，禁不住戚家军猛攻猛冲，纷纷败退。倭寇头目率领残兵逃到兴化，戚家军又连夜跟踪追击，一连攻下了敌人六十多个营寨，消灭了溃逃的敌人。到天色发白的时候，戚家军开进兴化城。城里的百姓才知道附近的倭寇已被戚家军消灭。大家兴高采烈，纷纷杀牛带酒，到军营来慰劳。

第二年，倭寇又侵犯福建，攻下兴化。这时候，俞大猷已经复职。朝廷派俞大猷为福建总兵，戚继光为副总兵。两个抗倭名将一起，大败倭寇，收复兴化。公元1565年，俞、戚两军再次配合，大败倭寇。到这时候，横行几十年的倭寇被基本肃清了。

努尔哈赤建立后金

明王朝政治越来越腐败,边防也越来越松弛,在我国东北地区的女真族的一支——建州女真趁机扩大势力,开始强大起来,它的领袖是爱新觉罗·努尔哈赤。努尔哈赤出身建州女真的贵族家庭。祖父觉昌安和父亲塔克世,都是建州女真的贵族,被明朝封为建州左卫的官员。努尔哈赤从小就练习骑马射箭,练得一身好武艺。建州女真有好几个部落,互相攻杀。明朝总兵李成梁利用建州各部的矛盾来加强统治。

努尔哈赤二十五岁那年,建州女真部有个土伦城的城主尼堪外兰,带引明军攻打古勒寨城主阿台。阿台的妻子是觉昌安的孙女。觉昌安得到消息,带着塔克世到古勒寨去探望孙女。正碰上明军攻打古勒寨,觉昌安和塔克世在混战中都被明军杀害。努尔哈赤痛哭了一场,葬了他的祖父、父亲,但是想到自己的力量太小,不敢得罪明军,就把一股怨恨全集中在尼堪外兰身上。他跑到明朝官吏那里说:"杀我的祖父、父亲是尼堪外兰,只要你们把尼堪外兰交给我,我也就甘心了。"明朝官吏只把他祖父、父亲的遗体交还他,但不肯交出尼堪外兰。努尔哈赤满腔悲愤回到家里,翻出了他父亲留下的十三副盔甲,分发给他手下兵士,向土伦城进攻。努尔哈赤英勇善战,尼堪外兰不是他的对手,狼狈逃走。努尔哈赤攻克了土伦城,继续追击,趁机又征服了建州女真的一些部落。尼堪外兰东奔西窜,最后逃到了鄂勒珲(今齐齐哈尔附近),请求明军保护。努尔哈赤也追到那里。明军看他不肯罢休,怕因此引起战争,就让努尔哈赤杀了尼堪外兰。

　　努尔哈赤灭了尼堪外兰，声势越来越大。过了几年，统一了建州女真。这就引起女真族其他部的恐慌。当时的女真族，共有三部，除了建州女真之外，还有海西女真和"野人"女真。海西女真中有个叶赫部最强。公元 1593 年，叶赫部联合了女真、蒙古九个部落，结成联盟，合兵三万，分三路进攻努尔哈赤。

　　努尔哈赤听到九部联军来攻，事先做好迎战的准备。他在敌军来路上，埋伏了精兵；在路旁山岭边，安放了滚木石块，一切安排妥当，他就安安稳稳睡起觉来。他的妻子看了很着急，把他推醒，问他："九部兵来攻打，你怎么睡起觉来，难道真的你给吓糊涂了？"努尔哈赤笑着说："如果我害怕，就是想睡也睡不着。"

　　第二天，建州派出的探子回报敌兵人数众多，将士们听了也有点害怕。努尔哈赤就解释说："别害怕，现在我们占据险要地形，敌兵虽然多，不过是乌合之众，一定互相观望。如有哪一个领兵先攻，我们就杀他一二个头目，不怕他们不退。"

　　九部联军到了古勒山下，建州兵在山上严阵以待，先派出一百骑兵挑战。叶赫部一个头目冲来，马被木桩绊倒，建州兵上去把他杀了，另一头目看到这情景也吓昏过去。这一来，九部联军没有统一指挥，四散逃窜，努尔哈赤乘胜追击，击败了叶赫部。又过了几年，基本统一了女真族各部。努尔哈赤在统一女真过程中，把女真人编为八个旗，旗既是一个行政单位，又是军事组织。每旗下面有许多牛录，一个牛录三百人，平时耕田打猎，战时打仗。这样既推动了生产，又加强了战斗力。为了麻痹明朝，他继续向明朝朝贡称臣，明朝廷认为努尔哈赤态度恭顺，封他为龙虎将军。他还多次到北京，亲自察看明朝政府的虚实。公元 1616 年，他认为时机成熟，就在八旗贵族拥护下，在赫图阿拉（今辽宁新宾附近）即位称汗，国号大金。为了跟过去的金朝区别，历史上把它称为后金。

萨尔浒大战

努尔哈赤建立后金后，又花了两年多时间整顿内部，发展生产，扩大兵力。公元1618年，努尔哈赤召集八旗首领和将士誓师，宣布跟明朝有七件事结下了冤仇，叫做"七大恨"。第一条就是明朝无故挑衅，害死了他的祖父和父亲。为了报仇雪恨，决定起兵征伐明朝。

第二天，努尔哈赤亲自率领二万人马进攻抚顺。他先写信给抚顺明军守将，劝他投降。守将李永芳一看后金军来势凶猛，没有抵抗就投降了，后金军俘获了人口、牲畜三十万。明朝的辽东巡抚派兵救援抚顺，也被后金军在半路上打垮。努尔哈赤命令毁了抚顺城，带着大批战利品回到赫图阿拉。

消息传到北京，明神宗大怒，决定派杨镐为辽东经略，讨伐后金。杨镐经过一番紧张的调兵遣将，才集中了十万人马。公元1619年，杨镐分兵四路，由四个总兵官率领，进攻赫图阿拉。中路左翼是山海关总兵杜松；中路右翼是辽东总兵李如柏；北路是开原总兵马林；南路是辽阳总兵刘铤（tǐng）。为了扩大声势，号称四十七万。杨镐坐镇沈阳，指挥全局。

那时候，后金八旗军兵力，合起来不过六万多。一些后金将士得到情报，不免有点害怕，来找努尔哈赤，要他拿主意。努尔哈赤胸有成竹地说："别怕，管他几路来，我就是一路去。"

经过侦察，努尔哈赤得知杜松率领的中路左翼是明军主力，已经从抚顺出发打了过来，他就集中兵力，先对付杜松。

杜松是一员身经百战的名将。从抚顺出发的时候，天正下着

大雪，杜松想抢头功，不管气候恶劣，急急忙忙冒雪行军。他先攻占了萨尔浒（今辽宁抚顺东）山口；接着分兵两路，把一半兵力留在萨尔浒扎营，自己带了另一部精兵攻打后，金的界藩城（辽宁今新宾西北）。

努尔哈赤一看杜松分散兵力，心里暗暗高兴，集中八旗的兵力，一口气攻下萨尔浒明军大营，截断了杜松后路。接着，又急行军援救界藩。正在攻打界藩的明军，听到后路被抄，军心动摇。驻守在界藩的后金军从山上居高临下地压下来，把杜松军杀得七零八落。努尔哈赤率领大军赶到，把明军团团围住。杜松左右冲杀想要突围，突然一箭飞来，正射中他的头部，杜松从马上栽下来死去。部下明军被杀得尸横遍野，血流成河。一路人马先覆灭了。

北路的马林从开原（今辽宁开原）出兵，刚刚到离开萨尔浒四十里的地方，得到杜松兵败的消息，吓得急忙转攻为守，就地依山，扎下营垒，挖了三层壕沟，准备防守。努尔哈赤率领八旗兵力从界藩马不停蹄地赶来，攻破明军营垒。马林没命地逃奔，才回到开原，第二路明军又被打散了。

坐镇沈阳的杨镐，正在等待各路明军的捷报，哪想到一连两天接到的竟是两路人马覆灭的坏消息，把他惊得目瞪口呆。他这才知道努尔哈赤厉害，连忙派快马传令另外两路明军立刻停止进军。

中路右翼的辽东总兵李如柏本来胆小，行动也特别迟缓，接到杨镐命令，急忙撤退。山上巡逻的二十来名后金哨兵远远望见明军撤退，大声鼓噪，明军兵士以为后面有大批追兵，争先恐后地逃跑，自相践踏，也死了不少。

剩下的一路是南路军刘铤。杨镐发出停止进军命令的时候，刘铤军已经深入到后金军阵地，各路明军失败的情况，他一点也不知道。刘铤是明军中出名的猛将，他使用一把一百二十斤的大刀，运转如飞，外号叫"刘大刀"。刘铤军军令严明，武器火药也多。进入后金阵地以后，连破几个营寨。

努尔哈赤知道刘铤骁勇，不能光靠拼硬仗。他选了一个投降

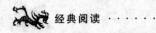

过来的明兵，叫他冒充杜松部下，送信给刘铤，说杜松军已经到赫图阿拉城下，只等刘铤军去会师攻城。

刘铤没接到杨镐命令，不知道杜松军已经覆灭，信以为真，他怕让杜松独得头功，下令火速进军。这一带道路险狭，兵马不能够并列，只好改为单列进军。刘铤带兵走了一阵，忽然杀声四起，漫山遍谷都是后金伏兵，向明军杀来。刘铤正在着急，努尔哈赤又派一支后金兵穿着明军衣甲，打着明军旗帜，装扮成杜松军前来接应。刘铤毫不怀疑，把人马带进假明军的包围圈里。后金军里应外合，四面夹击，明军阵势大乱。刘铤虽然勇敢，挥舞大刀，杀退了一些后金兵，但是毕竟寡不敌众，他左右两臂都受了重伤，终于倒下。

这场战争从开始到结束，只有五天时间，杨镐率领的十万明军损失了一大半，文武将官死了三百多人。这就是历史上著名的"萨尔浒之战"。

萨尔浒之战后，明朝大伤元气，后金步步进逼，过了两年，努尔哈赤又率领八旗大军，接连攻占了辽东重要据点沈阳和辽阳。

公元1625年三月，努尔哈赤把后金都城迁到沈阳，把沈阳称为盛京。打那以后，后金就成了明朝最大的威胁。

袁崇焕宁远大捷

明穆宗在位的时候，大学士张居正因为才能出众，得到穆宗的信任。公元1572年，穆宗死去，太子朱翊钧即位，就是明神宗。

明神宗是个贪财如命的昏君，他追求享乐生活，没完没了地搜罗金银珠宝，把国库都挥霍空了，就千方百计向民间搜刮。

明朝内部君臣之间、宦官与东林党人之间的斗争也愈演愈烈，努尔哈赤在辽东却取得节节胜利。先是攻陷开原，接着又夺取铁岭。公元1621年农历三月，后金军攻下了沈阳。沈阳是辽阳的屏障，明朝辽东的最高行政与军事长官都驻在辽阳，辽阳自然成了努力尔哈赤下一个目标。辽阳一失，明朝在辽东的势力便全面崩溃。

为了保卫辽阳，明军在城墙周围挖了三四道宽宽的壕沟，注入河水，城上又安置了火炮，但还是没有阻挡住努尔哈赤的进攻。就在明军出城与敌军拼死战斗时，混入城里的奸细突然放起火来，城内城外的明军一片混乱，城池很快被敌人占领。辽阳的高级官员、将领们，战死的战死，自焚的自焚，上吊的上吊。辽河以东大小城池七十余座都不再归属明朝。

辽阳南面有个广宁卫（今辽宁北镇），辽阳失陷后，广宁卫是明朝在关外剩下的最后一块重要的政治和军事基地。为了挽回败局，明熹宗再次起用富有经验和老将熊廷弼，负责军事；可是又用不懂军事的王化贞为广辽巡抚。两个最高长官意见不统一，熊廷弼要采用积极防守的战略，坚守广宁；王化贞却不积极组织防务，企图不战而胜。由于王化贞的阻挠，加上兵部支持王化贞的意见，熊廷弼不能有效地指挥。当努尔哈赤渡过辽河，向广宁发

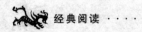

起进攻时，明军难以抵抗，王化贞首先丢下城池逃跑，幸得熊廷弼半路接应，才逃进关里。由于广宁失守，熊廷弼、王化贞被捕入狱，并先后被处死。辽东的明朝势力，也就一扫而光。而且，日益迫近山海关的敌军，开始极大地威胁京城的安全。

明熹宗着急了，召集大臣们讨论形势。不少人主张完全放弃关外土地，专心一意防守山海关，但谁也拿不出一个切实的主张。这时，兵部的同事们发现，职方司（掌管图籍的部门）的主事袁崇焕却不见了。过了几天，他出现了，胸有成竹地说："给我一些军队和钱粮，我就可以守住辽东，保卫京师。"

原来，袁崇焕一个人骑上马，奔往山海关外，实地考察去了。由于掌握了第一手材料，他提出坚守关外，保卫关内的战略。袁崇焕的实干精神，很受兵部尚书孙承宗欣赏。

袁崇焕是广西藤县人，进士出身，做过知县。他勇敢有胆量，有智谋，眼光远大，忠心爱国。做知县时，他就很关心辽东形势，遇到从辽东回来的退伍老兵，总要详细地询问塞外的情形，对辽东的形势，胸中早有了解。眼看敌人就要找到了鼻子底下，他毅然挺身而出，担负起保卫边疆的重担。

经明熹宗批准，袁崇焕被派到关外监军，并给他二十万饷银，收拾残局。袁崇焕冒着风雪严寒，不顾虎狼遍野，荆棘丛生，连夜赶路，四更天就赶到宁远（今辽宁兴城）前屯，安置难民，修筑工事。将士们都佩服他的胆量和精神，服从他的指挥。

袁崇焕考察了整个形势，认为应该赶快将宁远城建设为新的军事重镇。蓟辽督师孙承宗支持他的想法，就命他进驻宁远。

袁崇焕到宁远，立即组织军民加高城墙，修筑炮台，制造火器，储备粮食，训练士兵，救济难民，整顿好宁远的防务。他又在孙承宗支持下，派兵收复锦州、松山、杏山、右屯、大凌河等城市，形成新的防线，保持了四年的安宁。

很快，宁远成了明朝在关外的军事重镇。商人、百姓渐渐集中到宁远城来，宁远又变得热闹起来。关外的敌我形势，因此有了很大改观。

孙承宗和袁崇焕对扭转辽东局势起了很大的作用，但孙承宗却遭到魏宗贤的陷害，被罢了官。魏宗贤让他的爪牙、兵部尚书高第负责辽东军事。高第一上任就将锦州、松山、杏山等地防御设施一一撤除，把军民赶进关内。袁崇焕坚决反对弃城逃跑，他说："宁可战死在这里，也不撤回关内。"高第一意孤行，将其他地方的军队全部撤走，所积蓄的粮食装备，全部丢弃，路上到处是饿死、累死的难民尸体，到处是悲惨的哭声。宁远变成了一座孤城。努尔哈赤以为战机又来了。公元 1626 年农历正月，他亲自率领十三万大军，直扑宁远城。

袁崇焕作了必死的准备，他写了血书，与将士们一起宣誓，为保卫宁远，愿与城池共存亡。他的勇敢精神感动了全体将士，大家都决心与袁崇焕死守宁远城。

袁崇焕让城外的老百姓连同粮食，都撤回城里。军粮供应、奸细盘查、火器燃放，都有专人负责。袁崇焕又通知山海关守将，凡是从宁远逃进关的将士，一律斩首。宁远城军民安全，团结一致，准备抗击努尔哈赤的进攻。

正月二十四日，努尔哈赤军队发起进攻，他们顶着盾牌，冲到城下，架起长梯，不要命地爬城。城上明军用火炮、弓箭、石块还击，像雨点一样密集。后金兵像割草一样，一批一批地倒下，又一批一批地冲上来。城上的明军则不断向城下发射弓箭石块。这时，袁崇焕命令发射西洋巨炮，这才将后金兵打败。

第二天，后金兵再次猛烈攻城，努尔哈赤亲自到前线督战。突然一发炮弹在他身旁炸开，将他炸成重伤。努尔哈赤不得不下令撤军。宁远城的包围解除了，明朝与努尔哈赤开战以来，第一次取得了伟大的胜利。努尔哈赤遭到惨重的损失。不久，他就含恨而死。宁远大捷后，袁崇焕升任辽东巡抚，山海关内外的防线都归他管辖。他的雄心更大了，一心一意地想收复被努尔哈赤占领的全部辽东土地。

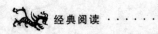
经典阅读 ······

左光斗入狱

zhonghuashangxiawuqiannian

　　明神宗后期，有个官员名叫顾宪成，因为正直敢谏，得罪了明神宗，被撤了职。他回到无锡（今江苏无锡）老家后，约了几个志同道合的朋友在东门外东林书院讲学。附近一些读书人听到顾宪成学问好，都赶到无锡来听他讲学，把一所本来就不大的东林书院挤得满满的。顾宪成痛恨朝廷黑暗，在讲学的时候，免不了议论起朝政，还批评一些当政的大臣。听过讲学的人都说顾宪成议论得对，京城里也有大臣支持他。东林书院名声越来越大。一些被批评的官僚权贵却对顾宪成恨得要命，把支持东林书院的人称做"东林党人"。

　　明熹宗刚即位的时候，一些支持东林党的大臣掌了权，其中最有名望的要数杨涟和左光斗。

　　有一次，朝廷派左光斗到京城附近视察，还负责那里的科举考试。

　　一天，北风刮得很紧，天上飘起了大雪。左光斗在官署里喝了几盅酒，忽然起了游兴。他带着几个随从，骑着马到郊外去踏雪。他们走着走着，见到一座古寺，环境十分幽静，左光斗决定到里面去休息一下。

　　他们下了马，推开虚掩的寺门，进了古寺，只见左边走廊边的小房间里，有个书生伏在桌上打瞌睡，桌上还放着几卷文稿。左光斗走近前去，拿起桌上的文稿细细看了起来。那文稿不但字迹清秀，而且文辞精彩，左光斗看了不禁暗暗赞赏。他放下文稿，正想转身回去，忽然想到，外面正下大雪，天气严寒，那书生穿得

 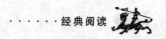

那样单薄，睡着了岂不要受凉，就毫不犹豫地把自己身上披的那件貂皮披风解下来，轻轻地盖在书生身上。

左光斗退出门外，把门掩上，他打发随从到寺里和尚那里去一打听，才知道那书生名叫史可法，是新到京城来应考的。左光斗把这个名字暗暗记住。

到了考试那天，左光斗进了厅堂。堂上的小吏高唱着考生的名字。当小吏唱到史可法的名字时，左光斗注意看那个送试卷上来的考生，果然是那天寺里见到的书生。左光斗接过试卷，当场把史可法评为第一名。

考试以后，左光斗在他的官府接见史可法，勉励了一番，又把他带到后堂，见过左夫人。他当着左夫人的面夸奖说："我家几个孩子都没有才能。将来继承我的事业。全靠这个小伙子了。"

打那以后，左光斗和史可法建立了亲密的师生关系。史可法家里贫穷，左光斗要他住进官府，亲自指点他读书。有时候，左光斗处理公事到深更半夜，还跑到史可法的房间里，两人兴高采烈地讨论起学问来，简直不想睡觉。

左光斗和杨涟一心一意想整顿朝政，但是明熹宗是个昏庸透顶的人。他宠信一个很坏的宦官魏忠贤，让魏忠贤掌握特务机构东厂。魏忠贤凭借手中的特权，结党营私，卖官受贿，干尽了坏事。一些反对东林党的官僚就投靠魏忠贤，结成一伙，历史上把他们称做"阉党"（阉 yān，指太监）。杨涟对阉党的胡作非为气愤不过，大胆上了一份奏章，揭发魏忠贤二十四条罪状。左光斗也大力支持他。

这一来可捅了娄子。公元 1625 年，魏忠贤和他的阉党勾结起来攻击杨涟、左光斗是东林党，罗织罪状，把他们打进大牢，严刑逼供。

左光斗被捕以后，史可法急得不知怎么办才好。他每天从早到晚，在牢门外转来转去，想找机会探望老师。可阉党把左光斗看管得很严密，不让人探望。

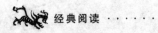

左光斗在牢里，任凭阉党怎样拷打，始终不肯屈服。史可法听说左光斗被折磨得快要死了，不顾自己的危险，拿了五十两银子去向狱卒苦苦哀求，只求见老师最后一面。

狱卒终于被史可法的诚意感动了，想办法给史可法一个探监的机会。当天晚上，史可法换上一件破烂的短衣，扮着捡粪人的样子，穿着草鞋，背着竹筐，手拿长铲，由狱卒带领着进了牢监。

史可法找到左光斗的牢房，只见左光斗坐在角落里，遍体鳞伤，脸已经被烧得认不清，左腿腐烂得露出骨头来。史可法见了，一阵心酸，走近前去，跪了下来，抱住左光斗的腿，不断地抽泣。

左光斗满脸是伤，睁不开眼，但是他从哭泣声里听出史可法来了。他举起手，用尽力气拨开眼皮，愤怒的眼光像要喷出火来。他骂着说："蠢材！这是什么地方，你还来干什么！国家的事糟到这步田地。我已经完了，你还不顾死活地跑进来，万一被他们发现，将来的事靠谁干？"

史可法还是抽泣着没完。左光斗狠狠地说："再不走，我现在就干脆收拾了你，省得奸人动手。"说着，他真的摸起身边的镣铐，做出要砸过来的样子。

史可法不敢再说话，只好忍住悲痛，从牢里退了出来。

过了几天，左光斗和杨涟等终于被魏忠贤杀害。史可法又花了一笔钱买通狱卒，把左光斗的尸体埋葬好了。他想起牢里的情景，总是情不自禁落下眼泪，说："我老师的心肠，真是铁石铸成的啊！"

皇太极施反间计

努尔哈赤受重伤死去以后，袁崇焕为了探听后金的动静，特地派使者到沈阳去吊丧。皇太极对袁崇焕窝了一肚子的怨恨，但是因为后金刚打败仗，需要休整，再说也想试探一下明朝的态度；所以，不但接待了袁崇焕的使者，还派使者到宁远去表示答谢。双方表面上缓和下来，背地里都在加紧准备下一步的战斗。

到了第二年，皇太极亲自率领大军，攻打明军。后金军分兵三路南下，先把锦州城包围起来。袁崇焕料定皇太极的目标是宁远，决定自己留在宁远，派部将带领四千骑兵援救锦州。果然，援兵还没出发，皇太极已经分兵攻打宁远。袁崇焕亲自到城头上督率将士守城，用大炮猛轰后金军；城外的明军援军也和城里内外夹击，把后金军赶跑了。

皇太极又把人马撤到锦州，但是锦州的明军守得严严实实，加上天气转暖，后金军士气低落。皇太极只好退兵。

袁崇焕又打了一个大胜仗。可是，魏忠贤阉党却把功劳记在自己名下，反而责怪袁崇焕没有亲自救锦州是失职。袁崇焕知道魏忠贤有心跟他为难，只好辞职。

公元1627年，昏庸的明熹宗死去，他的弟弟朱由检即位，就是明思宗，也叫崇祯帝（崇祯是年号）。

崇祯帝早就了解魏忠贤作恶多端，民愤太大。他一即位，就宣布了魏忠贤的罪状，把魏忠贤充军到凤阳。魏忠贤自己知道活不成，走到半路上自杀了。

崇祯帝惩办了阉党，又给杨涟、左光斗等人平反了冤狱，很

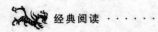

想振作一番。许多大臣请求把袁崇焕召回朝廷。崇祯帝接受了这个意见，提拔袁崇焕为兵部尚书，负责指挥整个河北、辽东的军事。崇祯帝还亲自召见袁崇焕，问他有什么计划。袁崇焕说："只要给我指挥权，朝廷各部一致配合，不出五年，可以恢复辽东。"

崇祯帝听了十分兴奋，给袁崇焕一口尚方宝剑，准许他全权行事。

袁崇焕重新回到宁远，选拔将才，整顿队伍，军纪严明，士气振奋。东江总兵毛文龙作战不力，虚报军功，不服从袁崇焕的指挥。袁崇焕使用尚方剑，把毛文龙杀了。

皇太极打了败仗，当然不肯罢休，他知道宁远、锦州防守严密，决定改变进兵路线。他做好一切准备，公元 1629 年十月，率领几十万后金军，从龙井关、大安口（今河北遵化北）绕到河北，直扑明朝京城北京。

这一着可出乎袁崇焕的意外。袁崇焕赶快出兵，想在半路上把后金军拦住，已经来不及了。后金军乘虚而入，到了北京郊外。袁崇焕得到情报，心急火燎带着明军赶了两天两夜，到了北京，没顾上休息，就和后金军展开激烈的战斗。别路明军，也陆续赶到，投入战斗。

后金军突然进攻北京，引起了全城震动。崇祯帝更是急得心慌意乱，不知该怎么办才好，后来听说袁崇焕带兵赶到，心才定了一些。他亲自召见袁崇焕，慰劳了一番。但是一些魏忠贤的余党却散布谣言，说这次后金兵绕道进京，完全是袁崇焕引进来的，说不定里面还有什么阴谋呢。

崇祯帝是个猜疑心极重的人，听了这些谣言，也有些怀疑起来。正在这个时候，有一个被金兵俘虏去的太监从金营逃了回来，向崇祯帝密告，说袁崇焕和皇太极已经订下密约，要出卖北京。这个消息简直像晴天霹雳，把崇祯帝惊呆了。

原来，明朝有两个太监被后金军俘虏去以后，被关在金营里。有天晚上，一个姓杨的太监半夜醒来，听见两个看守他们的金兵

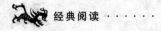

在外面轻声地谈话。

一个金兵说："今天咱们临阵退兵，完全是皇上（指皇太极）的意思，你可知道？"

另一个说："你是怎么知道的？"

一个又说："刚才我就看到皇上一个人骑着马朝着明营走，明营里也有两个人骑马过来，跟皇上谈了好半天话才回去。听说那两人就是袁将军派来的，他已经跟皇上有密约，眼看大事就要成功啦……"

姓杨的太监偷听了这番对话，趁看守他的金兵不注意，偷偷地逃了出来，赶快跑回皇宫，向崇祯帝报告。崇祯帝听了也信以为真。他哪里知道，这个情报完全是假的。两个金兵的谈话是皇太极预先布置的。

崇祯帝命令袁崇焕马上进宫。袁崇焕接到命令，也不知道发生了什么事，匆匆进了宫。崇祯帝拉长了脸，责问说："袁崇焕，你为什么要擅自杀死大将毛文龙？为什么金兵到了北京，你的援兵还迟迟不来？"

袁崇焕不禁怔了一下，这些话都是从哪儿说起？他正想答辩，崇祯帝已经喝令锦衣卫把袁崇焕捆绑起来，押进大牢。

有个大臣知道袁崇焕平日忠心为国，觉得事情蹊跷，劝崇祯帝说："请陛下慎重考虑啊！"

崇祯帝说："什么慎重不慎重？慎重只会误事。"

崇祯帝拒绝大臣的劝告，一些魏忠贤余党又趁机诬陷。到了第二年，崇祯帝终于下令把袁崇焕杀害。

皇太极用反间计除了对手袁崇焕，退兵回到盛京。打那以后，后金越来越强大。到了公元 1635 年，皇太极把女真改称满洲。又过了一年，皇太极在盛京称帝，改国号叫清。这就是清太宗。

闯王李自成

崇祯帝即位的第二年，公元 1628 年，陕西闹了一场大饥荒。老百姓没粮吃，连草根树皮也掘光了，只好吃山上的泥土。但是一些地方官吏，照样催租逼税，叫老百姓没法忍受下去。陕西各地爆发了农民起义。

这年冬天，明王朝从甘肃调了一支军队到北京去。这支军队开到金县（今陕西榆林），兵士们领不到饷，闹到县衙门去。带兵的将官出来弹压，有个年轻兵士气愤地站出来，带领兵士们把将官和县官杀了。这个兵士就是李自成。

李自成是陕西米脂人，出生在一个农民家庭，少年时候，就喜欢骑马射箭，练得一身好武艺。后来，父亲死了，家境穷困，李自成到银川驿站里去当马夫。他待人热情，驿卒们也挺爱戴他。

李自成的家一向担负代官府收租税的差使。米脂连年收成不好，农民拿不出租税。当地有个姓艾的大地主，乘机放高利贷，想在农民身上盘剥。李自成看大家交不起租税，就自己一个人借了债把税交了。过了一段时间，姓艾的地主逼李自成还债，李自成还不起，姓艾的就唆使官府把他抓起来打得半死，还锁上镣铐，把他放在太阳底下晒，不让吃东西。百姓和驿卒向县官恳求把李自成放在树阴下，让他吃点东西，县官也不答应。这一下把群众激怒了，大家一哄而上，砸开李自成身上的镣铐，带着李自成一起逃出米脂，到甘肃当了兵。

这一回，李自成在金县杀了将官，带着几十个兵士一起投奔王左挂领导的农民军，当上一名头领。

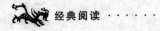
经典阅读 ......

明王朝派出的总督杨鹤看到起义军越来越多，十分害怕。他一面派兵镇压，一面采用高官厚禄招降农民军将领。王左挂禁不住诱惑，动摇投降了。李自成不得不另找队伍。后来，他打听到高迎祥领导一支队伍起义，自称"闯王"，就决心投奔高迎祥。

高迎祥听到李自成带兵来投奔，十分高兴，马上叫他担任一个队的将官，大家把他叫做闯将。

高迎祥和别的起义军联合起来，转战山西、河北等五个省，声势越来越大。官军到处围剿，遭到失败。最后，崇祯帝恼羞成怒，调动了各省官军，想把各路起义军全部包围，一口吃掉。

为了对付官军围剿，高迎祥约了十三家起义军的大小头领在荥阳开会，商量对策。

荥阳大会上，大家议论纷纷。有的认为敌人兵力太强，不如打回陕西老家避一避再说；也有的不同意，但是也拿不出更好的主意。这时候，李自成站了起来说："一个兵士肯拼命，也能奋战一下；我们有十万大军，敌人能拿我们怎么样？"

高迎祥赞许地说："依你的意思，该怎么办？"

李自成提出自己的主张。他认为起义军应该分成几路，分头出击，打破敌人的围剿。大家听了，都觉得李自成说得有理。经过一番商量，十三家起义军分成六路。有的拖住敌军，有的流动作战。高迎祥、李自成和另一支由张献忠领导的起义军向东打出包围圈，直取江淮地区的凤阳。

凤阳是明太祖朱元璋的老家。明太祖死后，那里成为明朝的中都。农民军出击凤阳，就是要打击明王朝的气焰。

高迎祥、张献忠领导的起义军一路进军，势如破竹，不到十天，就打下了凤阳，把明朝皇帝的祖坟和朱元璋做过和尚的皇觉寺一把火烧了。这一着真的震动了明王朝朝廷，崇祯帝听到这消息，又急又气，下令把凤阳巡抚处死。

高迎祥和李自成又带兵回到陕西，来回打击官军，叫明朝的官员手忙脚乱，狼狈不堪。崇祯帝和地方大臣都把高迎祥的队伍看成眼中钉，千方百计要消灭他们。有一次，高迎祥带兵进攻西安。陕西巡抚孙传庭在盩厔（今陕西周至）的山谷里埋下伏兵拦击。高迎祥没有防备，经过一场激战，被捕牺牲。

李自成带领留下的队伍杀了出来。将士们失去了主帅，心里十分沉痛。大伙认为闯将李自成是高迎祥最信任的将领，加上他的武艺高强，打仗勇敢，就拥戴他接替高迎祥，做了闯王。打那以后，李闯王的名声就在远近传开了。

李闯王的威名越高，越引起明王朝的害怕和仇恨。崇祯帝命令总督洪承畴、巡抚孙传庭专门围剿李自成。李自成的处境越来越困难。但是因为起义军将士的英勇作战和李自成的足智多谋，多次冲破官军的包围圈，活跃在四川、甘肃、陕西一带，打击官军。

在这个困难的时刻，另两支起义军的首领张献忠、罗汝才都接受明朝招降，李自成手下的将领也有人叛变。这使李自成的处境更加困难了。

公元 1638 年，李自成从甘肃转移到陕西，准备打出潼关去。洪承畴、孙传庭事先探听到起义军的动向，在潼关附近的崇山峻岭中，布置了三道埋伏线，故意让开通向潼关的大路，引诱李自成进入他们的包围圈。

李自成中了敌人的计。当他带领起义军浩浩荡荡开到靠近潼关的山谷地带的时候，两面高山里杀出了大批明军。他们依仗人多和地势有利，向起义军发起一次次冲击。起义军经过几天几夜的搏斗，几万名战士在战斗中牺牲，队伍被打散了。

李自成和他的部将刘宗敏等十七个人打退了大批敌人才冲出重重包围。他们翻山越岭，克服了重重困难，到了陕西东南的商洛山区，隐蔽起来。

明军占领了潼关，派出大批侦骑，搜捕李自成，搜了几个月，毫无信息。后来听有人传说，李自成在战斗中受了重伤，已经死去，明军才放松了搜捕。

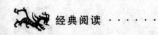

经典阅读 ······

李岩和红娘子

李自成离开商洛，到河南的时候，河南正发生一场大旱灾，成千上万饥民到处流亡。李自成一到河南，饥民听到李闯王出山的消息，纷纷前来投奔。

有一天，一群饥民拥着一个读书人模样的青年来找闯王。李自成询问来历，知道那青年名叫李岩（又名李信），刚被大家从河南杞县牢里救出来。

李岩本来是杞县地方一户富户人家的儿子。前几年，当地灾荒闹得凶，好多农民断了粮。李岩拿出家里的一些粮食，接济断粮的穷人。对于一个富户子弟来说，这样做是少见的。所以，穷人们觉得李岩为人不错，称呼他"李公子"。

杞县连年灾荒，穷人已经苦得过不了日子。但是，县官照样派差役向穷人逼税逼债。李岩怕逼出事来，去见姓宋的县官，劝他暂时停止征税，还希望他拨出一部分官粮借给饥民。

县官对李岩说："上司向地方派军饷，催得紧。我不问他们要税要租，拿什么交账。再说，官仓里的粮食早就空了，拿什么借给饥民。要借，只有请你们几家富户人家出粮了。"

李岩见县官不答应，回到家，打开自家的粮仓，把二百多石粮食拿出来让饥民分了。

闹饥荒的百姓见李公子肯捐粮，很高兴。但是受灾的百姓多，光李家捐粮也不顶事。有人想个主意，聚集几十个人到别的富户人家去请愿，要他们学李家的样儿。

那些富户人家不但不同意，反而向上门的饥民瞪白眼，说家里根本没粮。饥民一气之下，闹了起来，冲进一个富户的粮仓，把他家的粮食分了。

富户们发了慌，纷纷向县官哭诉。县官说："这不是反了吗？"立刻派了几名差役拿着他的令牌前去制止，还扬言说，如果再聚众要挟，一定要重办。饥民们正在气头上，哪怕你县官硬压。他们揪住差役，把令牌扔在地上，砸得粉碎，还拥到县衙门前，嚷嚷说："我们没有粮，早晚得饿死，不如跟你们拼了吧。"

县官一听饥民要暴动，吓得躲在县衙里不敢出来。他一想，还是李岩跟饥民有点来往，就赶快派人把李岩找来，请他想个办法。

李岩说："你要不出乱子，只有赶快停止逼债，劝富户人家捐粮。"

县官没办法，只好勉强答应。聚集在县衙外的饥民听说李岩已经说服县官捐粮，才平息了气愤。有人说："大伙先回去吧。要是过几天再不见他们拿出粮来，再找他们算账！"

哪料饥民一散，县令就反悔了。他想，不向饥民逼税，虽然解了眼前的急，可上司催起来怎么办，自己的乌纱帽还保得住？他左思右想，就恨起李岩来，认为现在饥民闹得这样凶，全是那姓李的惹出来的。他立刻叫个办案的师爷写了一份公文给上司，诬告李岩收买民心，想要造反。

这消息泄漏了出来，人们都替李岩担心。附近林子里，有一支农民起义队伍，带头的青年女子，是江湖上卖艺的，人们叫她红娘子。红娘子平时听到李岩捐粮救灾的事，十分钦佩，现在听说李岩有遭害的危险，就到李岩家里，把李岩带到林子里躲避。

李岩开始并没弄清红娘子的本意，后来一听红娘子要把他留下，参加起义队伍，就不愿意。没多久，从红娘子那里偷偷地跑了回来。李岩一回家，那如狼似虎的差役早就带着脚镣手铐等着他，一见李岩，就七手八脚把他铐了起来，带回县衙审问。

杞县的百姓听到李岩被捕，说："李公子坐牢，咱们难道能眼睁睁看他受苦不去救他？"

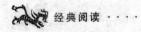

红娘子听到消息，也带着队伍来了。一大群饥民跟着她，拿刀的拿刀，使棒的使棒，一起攻打县衙门。

县官和差役一看起义队伍人多势大，料想抵挡不住，都溜走了。红娘子和饥民一起，打开牢监，把李岩救了出来。

到了这步田地，李岩觉得回家也没有出路，才听从红娘子的劝告，跟起义的饥民一起投奔李闯王。

李自成弄清了李岩的情况，知道李岩虽然是富户人家出身的读书人，也是个受迫害的；再说，起义军正需要找个谋士，就把李岩留在营里。李岩也早就知道李自成是个很有抱负的英雄，也就一心一意帮李自成推翻明王朝。

起义军队伍壮大以后，李自成着手整顿部队，严肃纪律，还接受李岩的建议，提出"均田免赋"（"赋"就是税收）的口号。李岩派出一批起义兵士打扮成商人模样，混进官军占领的城里，逢人就宣传："李闯王带的队伍是挺讲纪律的，不杀人也不抢东西。"人们对官军的杀人抢劫，早就恨透了。现在听说李闯王的队伍纪律严明，自然向着李闯王了。当地的农民还传唱着一些歌谣，也是李岩编的：

吃他娘，穿他娘，开了大门迎闯王。闯王来时不纳粮。

朝求升，暮求合，近来贫汉难求活。

早早开门拜闯王，管教大家都欢悦。

李自成的起义军受到人民的支持，在杀死福王朱常洵之后，又在河南接连打了几个大胜仗。公元 1643 年，李自成攻破潼关，打死明朝督师、兵部尚书孙传庭，没多久就占领了西安。

吴三桂借清兵

公元 1644 年，李自成在西安正式建立了政权，国号大顺。接着，李自成率领一百万起义将士，渡过黄河，分两路进攻北京。两路大军势如破竹，到了这年三月，就在北京城下会师。城外驻守的明军最精锐的三大营全部投降。

起义军猛攻北京城。第二天晚上，崇祯帝登上煤山（在皇宫的后面，今北京景山）上往四周一望，只见火光映天，知道形势危急，跑回宫里，拼命敲钟，想召集官员们来保护他。等了好久，连个人影儿都没有。这时候，他才知道末日到来，又回到煤山，在寿皇亭边一棵槐树下上吊自杀。统治中国二百七十七年的明王朝，宣告灭亡。

大顺起义军攻破北京，大将刘宗敏首先率领队伍进城，接着，大顺王李自成头戴笠帽，身穿青布衣，跨着骏马，缓缓地进了紫禁城。北京的百姓像过节一样，张灯结彩欢迎起义军。

大顺政权一面出榜安民，叫大家安居乐业；一面严惩明王朝的皇亲国戚、贪官污吏。李自成派刘宗敏和李过，勒令那些权贵交出平时从百姓身上搜刮来的赃款，充当起义军的军饷，拒绝交付的处重刑。少数民愤大的皇亲国戚被起义军抓起来杀头。

有个大官僚吴襄，也被刘宗敏抄了家产，并且逮捕起来追赃。有人告诉李自成说，吴襄的儿子吴三桂是明朝的山海关总兵，手下还有几十万大军。如果把吴三桂招降了，岂不是解除了大顺政权一个威胁。

李自成觉得这个主意很有道理，就叫吴襄给他儿子写信，劝

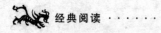

说他向起义军投降。

吴三桂原来是明朝派到关外抗清的，驻扎在宁远一带防守。起义军逼近北京的时候，崇祯帝接连下命令要吴三桂带兵进关，对付起义军。吴三桂赶到山海关，北京已被起义军攻破。过了几天，吴三桂收到吴襄的劝降信，倒犹豫起来。向起义军投降吧，当然是他不愿意的；要不投降吧，起义军勇猛善战，兵力强大，自己不是他们的对手。再说，北京还有他的家属财产，也舍不得丢掉。既然李自成来招降，不如到北京去看看情况再说。

吴三桂带兵到了滦州，离北京越来越近，就遇到一些从北京逃出来的人。吴三桂找来一问，开始，听说他父亲吴襄被抓，家产被抄，已经恨得咬牙切齿；接着，又听说他最宠爱的歌姬陈圆圆也被起义军抓走，更是怒气冲天，立刻下令退回山海关，并且要将士们一律换上白盔白甲，说是要给死去的崇祯帝报仇。

李自成得知吴三桂拒绝投降，决定亲自带二十多万大军，进攻山海关。吴三桂本来就害怕农民军，听到这消息，吓得灵魂出窍。他也顾不了什么民族气节，写了一封信，派人飞马出关，请求清朝帮助他镇压起义军。

清朝辅政的亲王多尔衮接到吴三桂的求救信，觉得机会来到，立刻回信同意。接着，他亲自带着十几万清兵，日夜不停地向山海关进兵。

清军到了山海关下，吴三桂已经迫不及待地带着五百个亲兵出关迎接多尔衮。他见了多尔衮，卑躬屈膝地哀求多尔衮帮他报仇。多尔衮自然顺水推舟地答应。吴三桂把多尔衮请进关里，大摆酒宴，杀了白马乌牛，祭拜天地，订立了同盟。

李自成大军从南面开到山海关边。二十多万起义军，依山靠海，摆开浩浩荡荡的一字阵，一眼望不到边。老奸巨猾的多尔衮从城头望见起义军阵容坚强，料想不容易对付，就让吴三桂打先锋，叫清军埋伏起来，自己和几名清将远远躲在后面的山头观战。

战斗开始了，李自成骑着马登上西出指挥作战。吴三桂带兵

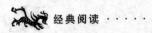

一出城，起义军的左右两翼合围包抄，把吴三桂和他的队伍团团围住。明兵东窜西突，冲不出重围；起义军个个血战，喊杀声震天动地。

正在双方激烈战斗的时候，不料海边一阵狂风，把地面上的尘沙刮起，一霎时，天昏地黑，对面见不到人。多尔衮看准时机，命令埋伏在阵后的几万清兵一起出动，向起义军突然袭击。起义军毫无防备，也弄不清是哪儿来的敌人，心里一慌张，阵势也就乱了。直到风定下来，天色转晴，才看清楚对手是留着辫子的清兵。

李自成在西山上发现清兵已经进关，想稳住阵脚，指挥抵抗，已经来不及了，只好传令后撤。多尔衮和吴三桂的队伍里外夹击，起义军遭到惨重失败。

李自成带领将士边战边退。吴三桂仗着清兵的势，在后面紧紧追赶。起义军回到北京，兵力已经大大削弱。

李自成回北京后，在皇宫大殿里举行即位典礼，接受官员的朝见。第二天一清早就率领起义军，离开北京，向西安撤退。

李自成离开北京的第三大，多尔衮带领清兵，耀武扬威地开进北京城。公元 1644 年 10 月，多尔衮把顺治帝从沈阳接到北京，把北京作为清朝国都。打那时候起，清王朝就开始在中国建立了它的统治。

第二年，清朝分兵两路攻打西安。一路由阿济格和吴三桂、尚可喜率领，一路由多铎（duó）和孔有德率领。李自成率领农民军在潼关抗击清军，经过激烈战斗，终于被迫放弃西安，向襄阳转移。过了几个月，农民军在湖北通山县九宫山，遭到当地地主武装袭击，李自成战败牺牲。

李自成退出北京后，张献忠在四川称帝，国号大西，继续抗击清军。到公元 1647 年，清军进四川，张献忠在川北西充的凤凰山的一场战斗中，中箭死去。这样明朝末年的两支主要起义军都失败了。

史可法血战扬州

zhonghuashangxiawuqiannian

当崇祯皇帝自杀的消息传到南京，这座明朝的京都陷入了惊恐和慌乱之中。接下来的问题就是，立谁做皇帝、继承明朝皇室的血统呢？南京的大臣们分成了两派。一派以正直爱国的官员、南京兵部尚书史可法为代表，另一派是腐败乱政的官僚，凤阳总督马士英是他们的头。马士英为了独揽大权，拥立昏庸荒淫的福王朱由崧称帝，历史上称为弘光帝，把政权叫作南明政权。史可法本来并不赞成朱由崧当皇帝，但这时也只好同意了。

朱由崧是个沉湎酒色、荒唐透顶的皇帝。他没有一丁点收复失地的进取心，而是大兴土木，建造宫殿；还派出宦官去民间搜罗美女。马士英利用弘光帝的荒淫作乐，不问国事，疯狂地结党营私，为非作歹。他把魏忠贤的余党阮大铖（chéng）拉进朝廷，让阮大铖把持了兵部的要职。马士英还公开卖官鬻（yù）爵，大量收受不义之财。百姓们愤慨极了，街头巷尾流传着这样的民谣："都督满街走，职方贱如狗。相公（指马士英）只爱钱，皇帝但吃酒。"

史可法对南明小朝廷的乌烟瘴气非常焦虑，他恳切地劝谏弘光帝："陛下应该迅速振作精神，光复故土，决不能满足于江南半壁河山。"

朱由崧只是"嗯"了几声，连一句像样的话都说不出来。史可法感到自己在南京一点劲都使不上，便主动要求上抗清前线去统率军队，杀敌报国。

史可法到了长江北岸，发现情况比他的想象要复杂得多。原

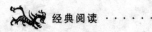

来，长江北岸驻扎着四支明军，叫做四镇。四镇的将领飞扬跋扈，割据一方，互相攻杀，纵容士兵残害百姓。史可法一到扬州，便苦口婆心地劝导他们，国难当头，要以大局为重，为国分忧。终于使这些将领服从他的号令，稳住了江北的局面。

史可法坐镇扬州指挥，大伙都尊称他史督师。他治军严明，与士兵同甘共苦，深受将士们的爱戴。这年的大年夜，将士们都去休息了，他独自留在官衙里批阅公文。到了深夜，他让当班的厨师拿点酒菜上来填填饥，厨师报告："督师，照您的吩咐，今天厨房里面的肉都分给将士去过节，下酒菜一点都没了。"

"那就拿点盐和酱油下酒吧。"史可法说。

第二天天刚亮，扬州的文武官员照例来到督师衙门，却见大门紧闭。大家很纳闷，督师平时都是起得很早的。这时，有个士兵出来说，督师昨夜喝了点酒，还没醒来。扬州知府任民育听后，难过而又欣慰地说："督师平日那么操劳，太累了，昨夜睡得好，实在难得。我们别去惊动他，让他再好好休息一会。"

任民育把打更的更夫找来，要他重复打四更的鼓，意思是天还没亮。

史可法醒来后，发觉天已大亮，而更夫还在打四更鼓，便立刻把士兵叫起来，厉声责问："是谁违反我的军令，在那里乱打更鼓？"士兵将任民育关照的话说了一遍，史可法才沉默不语，然后就去处理公务了。

公元 1645 年，清廷在打败了李自成的大顺军之后，派豫亲王多铎带领大军大举南下。史可法指挥四镇将领抗击，打了一些胜仗。但就在这关键时刻，南明政权内部却发生了内乱。驻守长江中下游的明军将领左良玉不满马士英、阮大铖的专横跋扈，发兵进攻南京。弘光帝急忙下诏给史可法，命他率军回撤，对付左良玉，救援南京。史可法只好带兵回南京，刚过长江，得知左良玉已经兵败而死，而清军已经逼近扬州，便急忙赶回江北。

史可法下令各镇将领火速增援扬州，集中兵力，抵抗清军。但四镇将领中，只有总兵刘肇基率兵从高邮前来救援。面对源源开来的十万清军，史可法的手中只有一万兵力，形势万分险恶。他给远在南京的母亲和妻子写了遗书，决心与扬州城共存亡。

多铎为了不战而胜，一连派了五个人拿着劝降书来劝降，史可法看都不看，统统扔进了护城河里。多铎恼羞成怒，下令清军严密包围扬州城。一些胆小的将领吓坏了，第二天，就有一个总兵和一个监军借助夜色，带着本部人马溜出了城，投降了清军，使得守城的力量更加薄弱了。

清军开始轮番攻城。扬州军民在史可法的鼓舞下，誓死抵抗，打退了清军的一次又一次进攻。三天过去了，扬州城岿然不动。

多铎恨得咬牙切齿，调来西洋大炮轰城，而且把炮口对准了史可法亲自防守的西门，一颗颗炮弹呼啸着落到西北角，终于将城墙炸开了一个大缺口。

潮水般的清军冲进城来，史可法一看城破，悲愤万分，拔出佩剑就要自杀，被随从的部将夺了下来。部将们连拉带劝，将史可法保护出小东门。这时，一队清兵路过，见他穿的是明朝官员的服饰，就吆喝着问他是谁？史可法生怕连累部下，大声说道："我就是史可法。"

多铎听说抓住了史可法，便亲自来劝降。讲了三天，口干舌燥，但史可法毫不动摇。多铎最后露出了狰狞的嘴脸，却又假惺惺地说："既然你是忠臣，我就杀了你，成全你的名节吧。"

史可法微微一笑，大义凛然地回答："与扬州城共存亡，是我早已决定好的事。哪怕碎尸万段，我也心甘情愿。但是扬州百万生灵，你们不能杀戮。"

公元1645年4月，史可法惨遭杀害。多铎因为攻城的清军伤亡严重，竟惨无人道地下令屠杀扬州百姓作为报复。大屠杀整整持续了十天，这就是历史上有名的大惨案——"扬州十日。"

扬州失守后不久，清军轻而易举攻占了南京。弘光政权宣告灭亡。清军扬言要在两个月内占领最富饶的江浙地区；还发布了一道剃发令，强迫百姓按照满人的习惯，在十天之内一律剃发，只留一簇编成辫子拖在脑后，违抗命令的杀头，"留头不留发，留发不留头"。这一暴行激起了江南人民的英勇反抗。江阴军民在典史阎应元的领导下，用包括磨盘、石块在内的各种武器杀伤清兵，坚守八十多天，使清军死伤累累。全城没有一个人投降。嘉定军民坚持抗清斗争一个半月，恼羞成怒的清军先后三次屠城，制造了血淋淋的"嘉定三屠"惨案。

后来，史可法的养子史德威进城寻找养父的遗体，由于尸体太多，天气炎热，又都腐烂了，怎么也辨认不出来，只好把史可法生前穿过的衣袍和用过的笏板埋葬在扬州城外的梅花岭上。也就是人们今天见到的史可法衣冠墓。

郑成功收复台湾

　　隆武帝在福州建立政权之后，他手下大臣黄道周是个真心抗清的人，一心想帮助隆武帝出师北伐。但是掌握兵权的郑芝龙，只想保存自己的实力，不愿出兵。过了一年，清军进军福建的时候，派人向他劝降。郑芝龙贪图富贵，就抛弃了隆武帝，向清朝投降，隆武政权也灭亡了。

　　郑芝龙有个儿子叫郑成功（福建南安人），当时是个才二十二岁的青年将领。郑芝龙投降清朝的时候，郑成功苦苦劝阻他父亲。后来，他眼见父亲执迷不悟，气愤之下，就单独跑到南澳岛，募了几千人马，坚决抗清。清王朝知道郑成功是个能干的将才，几次三番派人诱降，都被郑成功拒绝。清将又派他弟弟带了郑芝龙的信劝他投降。他弟弟说："你如果再不投降，只怕父亲的性命难保。"郑成功坚决不动摇，写了一封回信，跟郑芝龙决绝。

　　郑成功兵力渐渐强大起来，在厦门建立了一支水师。他跟抗清将领张煌言联合起来，乘海船率领水军十七万人开进长江，分水陆两路进攻南京，一直打到南京城下。但是清军用假投降的手段欺骗他。郑成功中了清军的计，最后打了败仗，又退回厦门。

　　郑成功回到厦门，清军已经占领福建大部分地方，他们用封锁的办法，要福建、广东沿海百姓后撤四十里，断绝对郑军的供应，想困死郑成功。郑成功在那里招兵筹饷，都遇到困难，就决定向台湾发展。

　　台湾自古以来就是我国的领土。明朝末年，欧洲的荷兰人趁明王朝腐败无能，霸占了台湾的海岸，修建城堡，向台湾人民勒

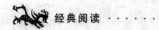

索苛捐杂税。台湾人民不断反抗，遭到了荷兰侵略军的镇压。

郑成功少年时期就跟随他父亲到过台湾，亲眼看到台湾人民遭受的苦难，早就想收复台湾。这一回，他下决心赶走侵略军，就下命令要他的将士修造船只，收集粮草，准备渡海。

恰好在这时候，有一个在荷兰军队里当过翻译的何廷斌，赶到厦门见郑成功，劝郑成功收复台湾。他说，台湾人民受侵略军欺侮压迫，早就想反抗了。只要大军一到，一定能够把敌人赶走。何廷斌还送给郑成功一张台湾地图，把荷兰侵略军的军事布置都告诉了郑成功。郑成功有了这个可靠的情报，进攻台湾的信心就更足了。

公元1661年3月，郑成功要他儿子郑经带领一部分军队留守厦门，自己亲率二万五千名将士，分乘几百艘战船，浩浩荡荡从金门出发。他们冒着风浪，越过台湾海峡，在澎湖休整几天，准备直取台湾。这时候，有些将士听说西洋人的大炮厉害，有点害怕。郑成功把自己乘坐的战船排在前面，鼓励将士说："荷兰人的红毛火炮没什么可怕，你们只要跟着我的船前进就是。"

荷兰侵略军听说郑军要进攻台湾，十分惊慌。他们把军队集中在台湾（在今台湾东平地区）和赤嵌（在今台南地区）两座城堡，还在港口沉了好多破船，想阻挡郑成功的船队登岸。

郑成功叫何廷斌领航，利用海水涨潮的时机，驶进了鹿耳门，登上台湾岛。

台湾人民听到郑军来到，成群结队推着小车，提水端茶，迎接亲人。躲在城堡里的荷兰侵略军头目气急败坏地派了一百多个兵士冲来，郑成功一声号令，把敌军紧紧围住，杀了一个敌将，敌兵也溃散了。

侵略军又调动一艘最大的军舰"赫克托"号，张牙舞爪地开了过来，阻止郑军的船只继续登岸。郑成功沉着镇定，指挥他的六十艘战船把赫克托号围住。郑军的战船小，行动灵活。郑成功号令一下，六十多只战船一齐发炮，把赫克托号打中起了火。大火熊熊燃烧，把海面照得通红。赫克托号渐渐沉没下去，还有三艘荷兰船一看形势不妙，吓得掉头就逃。

荷兰侵略军遭到惨败，龟缩在两座城里不敢应战。他们一面偷偷派人到巴达维亚（今爪哇）去搬救兵，一面派使者到郑军大营求和，说只要郑军肯退出台湾，他们宁愿献上十万两白银慰劳。

郑成功扬起眉毛，威严地说："台湾本来是我国的领土，我们收回这地方，是理所当然的事，你们如果赖着不走，就把你们赶出去！"

郑成功喝退荷兰使者，派兵猛攻赤嵌。赤嵌的敌军还想顽抗，一时攻不下来。有个当地人给郑军出个主意说，赤嵌城的水都是从城外高地流下来的，只要切断水源，敌人就不战自乱。郑成功照这个办法做了，不出三天，赤嵌的荷兰人果然乖乖地投降。

盘踞台湾城的侵略军企图顽抗，等待救兵。郑成功决定采取长期围困的办法逼他们投降。在围困八个月之后，郑成功下令向台湾城发起强攻。荷兰侵略军走投无路，只好扯起白旗投降。公元 1662 年初，侵略军头目被迫到郑成功大营，在投降书上签了字后，灰溜溜地离开了台湾。

郑成功从荷兰侵略者手里收复了我国神圣领土台湾，成为我国历史上杰出的民族英雄。

康熙帝平定三藩

zhonghuashangxiawuqiannian

南明最后一个政权灭亡的那年，顺治帝已经病死，他的儿子玄烨（yè）即位，这就是清圣祖，也叫康熙帝。

康熙帝即位的时候，年纪才八岁。按照顺治帝的遗诏，由四个满族大臣帮助他处理国家大事，叫做辅政大臣。四个辅政大臣中，有个叫鳌（áo）拜，仗着自己掌握兵权，又欺负康熙帝年幼，独断专横。别的大臣和他意见不合，就遭到排挤打击。

清王朝进关后，用强迫手段圈了农民大片土地，分给八旗贵族。鳌拜掌权以后，仗势扩大占地，还用差地强换别旗的好地，遭到地方官的反对。鳌拜诬陷这些官员大逆不道，把反对他的三名地方官处死了。

康熙帝满十四岁的时候，亲自执政。这时候，另一个辅政大臣苏克萨哈和鳌拜发生争执。鳌拜怀恨在心，勾结同党诬告苏克萨哈犯了大罪，奏请康熙帝把苏克萨哈处死。康熙帝不肯批准。鳌拜在朝堂上跟康熙帝争了起来，后来竟揎（xuān）起袖子，拔出拳头，大吵大嚷。康熙帝非常生气，但是一想鳌拜势力不小，只好暂时忍耐，由他把苏克萨哈杀了。

打那以后，康熙帝决心除掉鳌拜。他派人物色了一批十几岁的贵族子弟担任侍卫，这些少年个个长得健壮有力。康熙帝把他们留在身边，天天练摔跤。

鳌拜进宫去，常常看到这些少年吵吵嚷嚷在御花园里摔跤，只当是孩子们闹着玩，一点不在意。

有一天，鳌拜接到康熙帝命令，要他单独进宫商量国事。鳌

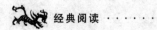

拜像平常一样大模大样进宫去。刚跨进内宫的门槛，忽然一群少年拥了上来，围住了鳌拜，有的拧胳膊，有的拖大腿。鳌拜虽然是武将出身，力气也大。可是这些少年人多，又都是练过摔跤的，鳌拜敌不过他们，一下子就被打翻在地。任凭他大声叫喊，也没有人搭救他。

鳌拜被抓进大牢，康熙帝马上要大臣调查鳌拜的罪行。大臣们认为，鳌拜专横跋扈，擅杀无辜，罪行累累，应该处死。康熙帝从宽发落，把鳌拜的官爵革了。

康熙帝用计除掉了鳌拜，朝廷上下都很高兴。一些原来比较骄横的大臣知道这个年轻皇帝的厉害，也不敢在他面前放肆。

康熙帝亲自执政后，大力整顿朝政，奖励生产，惩办贪污，使新建立的清王朝渐渐强盛起来。当时，南明政权虽然已经灭亡。但是南方有三个藩王却叫康熙帝十分担心。

这三个藩王本来是投降清朝的明军将领，一个是引清兵进关的吴三桂，一个叫尚可喜，一个叫耿仲明。因为他们帮助清朝消灭南明，镇压农民军，清王朝认为他们有功，封吴三桂为平西王，驻防云南、贵州；尚可喜为平南王，驻防广东；耿仲明为靖南王，驻防福建，合起来叫做"三藩"。

三藩之中，又数吴三桂最强。吴三桂当上藩王之后，十分骄横，不但掌握地方兵权，还控制财政，自派官吏，不把清朝廷放在眼里。

康熙帝知道要统一政令，三藩是很大的障碍，一定得找机会削弱他们的势力。正好尚可喜年老，想回辽东老家，上了一道奏章，要求让他儿子尚之信继承王位，留在广东。康熙帝批准尚可喜告老，但是不让他儿子接替平南王爵位。这一来，触动了吴三桂、耿精忠（耿仲明的孙子），他们想试探一下康熙帝的态度，假惺惺地主动提出撤除藩王爵位、回到北方的请求。

这些奏章送到朝廷，康熙帝召集朝臣商议。许多大臣认为吴三桂他们要求撤藩是假的，如果批准他们的请求，吴三桂一定会造反。

康熙帝果断地说："吴三桂早有野心。撤藩，他要反；不撤，他迟早也要反。不如来个先发制人。"接着，就下诏答复吴三桂，同意他撤藩。诏令一下，吴三桂果然暴跳如雷。他自以为是清朝开国老臣，现在年纪轻轻的皇帝居然撤他的权，就非反不可了。

公元 1673 年，吴三桂在云南起兵。为了笼络民心，他脱下清朝王爵的穿戴，换上明朝将军的盔甲，在永历帝的墓前假惺惺地痛哭一番，说是要替明王朝报仇雪恨。但是，人们都记得很清楚，把清兵请进中原来的是吴三桂；最后杀死永历帝的，还是吴三桂。现在他居然打起恢复明朝的旗号来，还能欺骗谁呢？

吴三桂在西南一带势力大，一开始，叛军打得很顺利，一直打到湖南。他又派人跟广东的尚之信和福建的耿精忠联系，约他们一起叛变。这两个藩王有吴三桂撑腰，也反了。历史上把这件事称做"三藩之乱"。

三藩一乱，整个南方都被叛军占领。康熙帝并没有被他们吓倒，一面调兵遣将，集中兵力讨伐吴三桂；一面停止撤销尚之信、耿精忠的藩王称号，把他们稳住。尚之信、耿精忠一看形势对吴三桂不利，又投降了。

吴三桂开始打了一些胜仗，后来清兵越来越多，越打越强，吴三桂的力量渐渐削弱，处境十分孤立。经过八年战争，他自己知道支撑不下去，连悔带恨，生了一场大病断了气。公元 1681 年，清军分三路攻进云南昆明，吴三桂的孙子吴世璠自杀。清军最后平定了叛乱势力，统一了南方。

但是，正在朝廷庆祝平定叛乱胜利的时候，在我国东北边境又传来沙皇俄国侵犯边境的消息，这就使康熙帝不得不把注意力放到北方边境上面去。

文字狱

清朝统治者对明朝留下来的文人，一面采取招抚办法。一面对不服统治的，采取了严厉的镇压手段。就在康熙帝即位的第二年，有官员告发，浙江湖州有个文人庄廷鑨，私自招集文人编辑《明史》，里面有攻击清朝统治者的语句，还使用南明的年号。这时候，庄廷鑨已死去，朝廷下令，把庄廷鑨开棺戮尸，他的儿子和写序言的、卖书的、刻字的、印刷的和当地官吏，被处死的处死，充军的充军。这个案件，一共株连到七十多人。

公元 1711 年，又有人告发，在翰林官戴名世的文集里，对南明政权表示同情态度，又用了南明的永历帝的年号，就下令把戴名世打进大牢，判了死刑。这个案件牵连到他的亲友和刻印他文集的，又有三百多人。因为这些案件完全是由写文章引起的，就管它叫"文字狱"。

康熙帝做了六十一年皇帝，老死了。他的第四个儿子胤禛（yìn zhēn）即位，这就是清世宗，又叫雍正帝。雍正帝是一个残暴成性、猜忌心又很重的人。在他的统治下，文字狱也更多更严重。最出名的是吕留良事件。

吕留良也是一个著名学者。明朝灭亡以后，他参加反清斗争没有成功，就在家里收学生教书。有人推荐他博学鸿词，他坚决拒绝了。官员劝他不听，威胁他也没用，后来他索性跑到寺院里，剃光了头当和尚。官员们也拿他没办法。

吕留良当了和尚之后，躲在寺院里著书立说。书里面有反对清朝统治的内容。幸好书写成了，没有流传开去，吕留良死了，更没被人注意。

有个湖南人曾静，偶然见到吕留良的文章，对吕留良的学问十分敬佩，就派了个学生张熙，从湖南跑到吕留良的老家浙江去打听他遗留下来的文稿。

张熙一到浙江，不但打听到文稿的下落，还找到吕留良的两个学生。张熙跟他们一谈，很合得来。他向曾静汇报后，曾静也约两人见了面，四个人议论起清朝统治，都十分愤慨。大家就秘密商量，怎么想办法推翻清王朝。

他们懂得，光靠几个读书人办不了大事。后来，曾静打听到担任陕甘总督的汉族大臣岳钟琪，掌握很大兵权，因为讨伐边境叛乱的时候立了战功，受到雍正帝重用。他想，要是能劝说岳钟琪反清，成功就大有希望。

曾静写了一封信，派张熙去找岳钟琪。岳钟琪接见张熙，拆看来信，见是劝说他反清的，大吃一惊，问张熙说："你是哪里来的，胆敢送这样大逆不道的信。"

张熙面不改色说："将军跟清人是世仇，您难道不想报仇？"

岳钟琪说："这话从哪儿说起？"

张熙说："将军姓岳，是南宋岳忠武王（就是岳飞）的后代，现在的清朝皇帝的祖先是金人。岳王当年被金人勾结秦桧害死，千古称冤。现在将军手里有的是人马，正是替岳王报仇的好机会呢。"

岳钟琪听了，马上翻了脸，吆喝一声，把张熙打进牢监，并且要当地官吏审问张熙，追查他是什么人指使的。

张熙受尽种种酷刑，就是不招，说："你们要杀要剐都可以，要问指使人，没有！"

岳钟琪心想，这个张熙是个硬汉，光使硬的治不了他，就另想一个软的办法。第二天，他把张熙从牢里放出来，秘密接见了他。岳钟琪假惺惺说：昨天的审问，不过是试探，他听了张熙的话，十分感动，决心起兵反清，希望张熙帮他出主意。

张熙开始不相信，禁不住岳钟琪装得郑重其事，还真的赌神

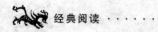
经典阅读 ······

罚咒，才相信了他。两人商谈了几天，渐渐热络起来。张熙无话不谈，把他老师曾静怎样交代的话都抖了出来。

岳钟琪哄得了张熙提供的情况，一面派人到湖南捉拿曾静，一面立刻写了一份奏章，把曾静、张熙怎样图谋造反的情节，一五一十报告了雍正帝。

雍正帝接到报告，又气又急，立刻下命令把曾静、张熙解送到北京，严刑审问。这时候，张熙才知道上了岳钟琪的大当，要不招也不中用了。雍正帝再一查，知道曾静还跟吕留良的两个学生有来往。

这样，案子就牵连到吕留良家。吕留良已经死了，雍正把吕留良的坟刨了，棺材劈了，还不解恨，又把吕留良的后代和他的两个学生满门抄斩。还有不少相信吕留良的读书人也受到株连，被罚到边远地区充军。

像这样的案子还是真有反对朝廷的活动引起的。另外有不少文字狱，完全是牵强附会，挑剔文字过错，甚至为了一句诗、一个字也惹出大祸。有一次，翰林官徐骏在奏章里，把"陛下"的"陛"字错写成"狴"（bì）字，雍正帝见了，马上把徐骏革职。后来再派人一查，在徐骏的诗集里找出了两句诗："清风不识字，何事乱翻书？"挑剔说这"清风"就是指清朝，这一来，徐骏犯了诽谤朝廷的罪，把性命也送掉了。

鄂尔泰推行改土归流

清朝在安定东北边疆、巩固内地的统治后，开始注重西南边疆的治理与整顿。

从元朝开始，在西南地区的四川、云南、贵州及广西、湖南、湖北少数民族地区，实行土司制度。就是在少数民族生活的地区，建立土司，任命少数民族的上层人物为土知府、土知州，管理原地区。土官有许多特权，职位世袭不变，朝廷不加干涉，不受府县流官（朝廷任命、任期有限的官员）管辖。土司只象征性地向朝廷缴纳一点钱粮，有的土司一点也不承担。土司有自己的武装、监狱，按自己的习惯管理民众。

改土归流，就是取消土司的建制和特权，在土司管辖的地方，建立府、县机构，由朝廷委派有一定任期的官员管理，统一朝廷的政令。

开始时，土司制度起到过一些安定边疆的作用。但到后来，土司的权势越来越大，管理区内，土司头目作威作福，残酷欺压民众，任意征收赋税。土司之间，时常为争抢财物、地盘械斗。对朝廷，则经常违抗政令，甚至叛乱，骚扰周边府县，抢掠财物甚至抢掠汉民为奴隶。与邻国接境的土司，还勾结外国势力侵犯内地，造成边疆的不安定。明朝时，就已经感到土司制度的弊害，有过改土归流的政治措施。但由于明朝后期，先后忙于剿灭倭寇，抵抗后金的进攻，对付李自成、张献忠的农民起义军，没有能力推行下去。

清朝统治安定之后，这个问题又一天天突出起来。公元 1726

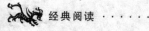
经典阅读 ······

年（雍正四年），云南巡抚鄂尔泰向朝廷上了一本奏疏，建议立即在西南地区全面推行改土归流的政策。

　　鄂尔泰是满族镶蓝旗人，康熙帝时担任内务府官员，只是一个小小的郎官。雍正在做贝勒（皇子）时，曾请他帮忙一件事，他认为不符合皇家规矩，拒绝了。雍正很欣赏他这种不畏权贵、严格执法的精神，待坐了皇位，就让他做云南的考试官，后来做到云南巡抚，办理总督云贵事务。他到云南后，发现了土司问题的严重性，就向雍正皇帝上了几道奏章。

　　鄂尔泰认为，现实存在几个严重问题。第一是对一些土司行政管辖的区划不合理，不能及时制止土司头目的骚乱。例如乌蒙（今云南昭通）、镇雄（今云南镇雄）、东川（今云南东川）三土司，归属四川省，但东川距云南昆明近于四川成都。一次，乌蒙土司攻击东川土司，云南军队及时出去，击退了乌蒙兵，四川调动军队的命令才送到，差一点误了事。第二是土司对属下民众的统治很残暴。乌蒙土司每年向朝廷缴纳的赋税银两不过三百多两，但头目向百姓征收的银两，超过这个数字的一百倍。土司家娶媳妇，百姓家三年不敢结婚。百姓被土司杀死，他的亲属还要替他缴纳几十两银子的"垫刀钱"。土司统治下的民众过着暗无天日的生活。第三是土司之间没完没了的械斗，守边的将士管不过来，相互推诿，影响边疆安定。第四是云南边境一带的土司，多与外国接壤，一有事情，就连通外国。

　　鄂尔泰建议，首先是调整西南几省边境的行政区划，便于政治和军事的统一管理。接着，应该立即推行改土归流的政策。

　　雍正读到他的奏章，非常赞同，就批准在西南地区对土司实行改土归流，并正式委任鄂尔泰为云、贵总督，全权处理改土归流事务。

　　实际施行改土归流时，鄂尔泰主张让土司主动交出土地、印信，尽量采取和平招抚的方法；但又要辅以武力征剿。凡抗拒改革，甚至发动叛乱的，坚决用兵剿灭，但又一味凭借武力。凡本人主动献出土地与印信的土司，线予优待和赏赐，还授给新官职和土地。对抗拒的，就没收财产，并将本人和家属迁徙到内地省份，另给田地房屋，安排生活。他的这些措施上报给雍正，全都得到批准。

当年农历五月，鄂尔泰首先平定贵州长寨土司的叛乱，设立长寨厅（今贵州长顺）。不久，又将乌蒙、镇雄、东川三土府划归云南管辖。乌蒙土知府禄万钟、镇雄土知府陇庆侯不肯改革，发动叛乱，鄂尔泰果断派兵摧毁了叛乱势力，将乌蒙土司改设乌蒙府（后改称昭通府，今云南昭通）；镇雄土司改设镇雄州。广西泗城土知府岑映宸也被革去职务，将所属南盘江以北地区设置为永丰州（今贵州贞丰布依族苗族自治县），划归贵州。

大势所趋，湖南、湖北、四川势力较弱的土司，纷纷主动将土地、印信交出，改土归流政策推行得比较顺利。雍正对鄂尔泰的办事能力很欣赏，又委任他为云南、贵州、广西三省总督。

将土司改设府县后，朝廷在这些地区添设了军事机构，接着清查户口，丈量土地，建筑城池、设立学校。原来土司的征收制度被废除，改按地亩征税，数额一般少于内地，民众的负担有较大的减轻，经济文化得到发展，边疆地区不安定的因素减少，多民族国家的统一得到巩固。

女英雄王聪儿

　　和珅掌权的时候，清王朝十分腐败，地方官吏贪污横行，百姓怨声载道。当时，在湖北、河南一带，白莲教又盛行起来。有个安徽人刘松，到河南传教，利用给百姓治病的机会，劝人入教，后来被官府发现，流放到甘肃去。

　　刘松的徒弟刘之协和宋之清逃到湖北，继续传教。他们宣传说，清朝快要灭亡，将来会出现新的世界，入教的人都可以分到土地。当地的贫苦农民受够地主剥削的苦，渴望得到土地，听了这个宣传，纷纷参加了白莲教。

　　参加白莲教的人越来越多的消息，惊动了乾隆帝。乾隆帝命令各省官府捉拿教徒。一些官吏本来是敲诈勒索的老手，趁机派出差役，挨家挨户地查问，不管你是不是教徒，都得拿出一笔钱来"孝敬"他们。有钱的出钱买命，没钱的穷人就被抓到监狱里拷打，甚至送了命。武昌有个官员向百姓敲诈勒索不成，罗织罪状，受到株连的有几千人。不论教徒或没入教的，都被迫害得家破人亡，对官府更加切齿痛恨。

　　白莲教首领刘之协到了襄阳，召集教徒开会商量。大家说："这个世道，真是官逼民反了！不如索性造反吧。"经过一番商议，决定用"官逼民反"的口号，发动群众起义，并且派出教徒分头到各地去联络。

　　公元1796年，也就在嘉庆帝即位那年，白莲教徒在湖北宜都、枝江等地举行了起义。襄阳地方有个白莲教首领齐林，原定在元宵灯节起义，不料走漏了消息，遭到官府的袭击，齐林和一百多个同伴被杀害。

齐林有个年轻的妻子叫王聪儿，原是个江湖卖艺的女子，从小练得一身武艺。她决心给丈夫和起义的同伴们报仇，就和齐林的徒弟姚之富一起，重新整顿起义队伍，不出一个月，就组织了一支四五万人的起义军。王聪儿和其他首领一起率领队伍，到处打击官府，惩办贪官污吏。

当王聪儿在湖北起义的时候，四川、陕西的白莲教徒也起兵响应。起义的火焰在三省广大地区蔓延开来，一些贫民、流民，都参加了起义队伍。

嘉庆帝一看起义军声势越来越大，慌了手脚，连忙命令各地的总督、巡抚、将军、总兵等大小官员，派出大批人马镇压。可是那些大官、将军们只知道贪污军饷，不懂得怎样打仗。

王聪儿分兵三路，从湖北打到河南。起义军打起仗来不但勇敢，而且机动灵活。他们在行军的时候，不整队，见了官军不正面迎战，不走平坦大道，专拣山间小路走，找机会袭击官军。他们又把兵士分成许多小队，几百人一队，有分有合，忽南忽北，把围剿他们的官军弄得晕头转向，疲于奔命。

王聪儿的起义军在湖北、河南、陕西流动作战，打击官军。第二年，在四川跟那里的起义军会师。

嘉庆帝见官军围剿失败，气得眼都红了，大骂王聪儿是罪魁祸首，又下了一道诏书把一些带兵的将军们狠狠地训斥了一通，撤职的撤职，办罪的办罪，并且严厉督促各地将军集中兵力，围剿王聪儿起义军。

清军将领明亮向嘉庆帝献了一条恶毒的计策，要各地地主组织武装民团，修筑碉堡。起义军一来，就把百姓赶到碉堡里去，叫起义军找不到群众帮助，得不到粮草供应。这种做法，叫做"坚壁清野"。嘉庆帝下令各地采用这种计策，起义军的活动果然越来越困难。

清军在川北一带围攻王聪儿。王聪儿摆脱清军围攻，亲自带领二万人马攻打西安，不料在西安遭到官军阻击，打了败仗；再打回湖北的时候，明亮率领官军紧紧追击。起义军后面有官军，前面又有地主武装民团的拦截，终于在郧西（在今湖北省，郧 yún）的三岔河地方，陷进敌人的包围圈。

王聪儿临危不惧，指挥起义军退到茅山的森林里，准备组织突围。官军发现了，又围住茅山，从山前山后，密密麻麻地拥上来。起义军经过顽强抵抗，终于失败。王聪儿和姚之富眼看突围不成，退到山顶，纵身从陡峭的悬崖上跳下来，英勇牺牲。

女英雄王聪儿牺牲后，各地起义军继续进行反抗官府的斗争。清王朝共花了九年工夫，才把这场大起义镇压下去。但是，清王朝经过这场严重打击，从此一蹶不振。

嘉庆帝死后，他的儿子旻（mín）宁即位，就是清宣宗，也叫道光帝。道光帝即位后，清王朝越来越衰落，西方资本主义国家乘机加紧侵略，民族危机越来越严重。到了公元1840年，也就是道光帝即位的第二十年，爆发了鸦片战争。打这以后，中国从封建社会一步步变为半殖民地半封建社会，英勇的中国人民为了反对资本帝国主义侵略，反对封建统治，前仆后继，开展了不屈不挠的艰苦卓绝的斗争。中国历史进入了一个新的时期——近代史时期。

天津教案

利用传教，对中国进行文化侵略，是近代帝国主义侵略中国的一个手段。

公元 1870 年 6 月 21 日午后，天津城内突然锣声震天。随后，成千上万的市民像潮水一样，冲向坐落在三岔口的法国洋楼——望海楼。市民们怒不可遏，放起火来，望海楼顷刻之间被烧成了灰烬。这次火烧望海楼的行动，就是当时震惊中外的"天津教案"。

天津自从开设了教堂，传教士就大肆活动。他们认为，育婴不但可以大大增加天津对人对教会的好感，并且可以把女婴作为资本，引诱穷人入教，因为穷人单是为了希望从育婴堂领到一个女婴做媳妇，往往全家都来受洗。于是教堂竭力收容，谁送来的孩子越多，给谁的奖赏就越丰厚，而且不问来历。这实际上是诱导一些为非作歹的人为获取不义之财而从事拐骗幼童的罪恶勾当。

天津望海楼教堂是在公元 1869 年落成的，里面附设有一所仁慈堂，收养了一些中国小孩。第二年初夏，仁慈堂里发生了瘟疫，几乎每天晚上都有一些人扛着几具木匣子，慌慌张张地朝乱葬岗奔去，在那里浅浅地刨个坑，把木匣子埋下，然后盖上一层浮土，又匆匆离去。白天，当地人发现成群的野狗在岗子汪汪乱叫，撕咬着幼童尸体的胳膊和大腿。没过几天，就有四十多具幼童尸体被胡乱地扔在乱岗，遭野狗啃吃，真是惨不忍睹！

这些被害的小孩是从哪里来的呢？原来是一个名叫王三的人贩子拐骗来卖给仁慈堂的。这件事是偶然被发现的。有一次，天津官府抓到两个同王三接头的人贩子，从他们身上搜出了外国钞票。经过审讯，才弄清王三是受望海楼教堂里的洋教士指使专门收买幼童。这个令人发指的消息不胫而走，立刻轰动了天津城。

6月21日上午天津官员带人贩子去教堂对证，许多市民出于义愤，不约而同地聚集在望海楼教堂前，要求严惩凶手。可是，教堂里的法国传教士手执洋枪、棍棒，牵着狼狗向市民扑来。市民们忍无可忍，拣起砖头石块，对准传教士和狼狗一阵猛砸，打得他们落荒而逃。

法国驻天津领事丰大业闻讯后，当即通知北洋大臣崇厚派兵镇压。崇厚不敢怠慢，连忙派兵驱散了聚集在教堂周围的市民。可是，丰大业却认为崇厚镇压不力，于是带着秘书西蒙气势汹汹地闯进崇厚的衙门。他一见崇厚就破口大骂："听说老百姓想要我的命，那你就先给我死吧！"随后朝崇厚连开两枪，但都没打中。

丰大业枪击中国官吏的消息传开了，愤愤不平的几千市民聚集在街头，准备与丰大业评理。

丰大业行凶没有得逞，越发咆哮如雷，气呼呼地冲到街头。西蒙高举利剑在前面开路，丰大业紧握手枪，向聚集在街头的人群狂叫："谁敢挡路，我就打死谁！"

这时，刚巧天津知县刘杰带着下属高升迎面走来，丰大业不由分说对着刘杰就是一枪。刘杰急忙一闪，子弹击中了高升，高升当场死去。市民们发怒了，大声吼道："法国领事这么霸道，我们为什么不能揍他！"他们一拥而上，抡起拳头，打死了丰大业和西蒙这两个恶棍。

当天午后，天津市民又鸣锣聚众，高举火把，把望海楼教堂、法国领事馆和四所英国教堂、两所美国教堂，统统焚毁。同时，还打死了作恶多端的法国传教士十多人，其他国籍的传教士，商人七人。

天津市民火烧望海楼教堂的正义行为，使外国侵略者大吃一惊。法国、英国、美国、俄国、德国、比利时、西班牙等七个国家的领事狼狈为奸，共同向清政府施加压力。英、美、法三国还调集军舰，进驻烟台和天津海面示威，扬言如果不接受他们的条件，就要把天津化为一片焦土。

软弱无能的清政府在强敌面前怕得不行，立即派直隶总督曾国藩到天津去查办，并派崇厚为钦差大臣，专程去法国赔礼谢罪。曾国藩到天津后居然颠倒黑白，要天津市民向法国人谢罪、赔款和重建教堂，还下令把天津知府、知县等二十五名官员充军治罪。他为了迅速结案，讨好洋人，不顾天津市民的正义呼声，竟杀死了无辜的天津市民十六人。

对天津教案的处理，使曾国藩的声望一落千丈。慈禧让李鸿章接替他，出任直隶总督。从此，淮军系集团逐渐压倒了湘军系，成为清朝廷的主要政治势力

——八国联军侵华夏——

公元 1900 年 6 月，义和团开始围攻外国使馆。

慈禧太后又想让外国列强挨打，又害怕以后列强报复她。于是，慈禧一方面命人给义和团捎话：狠狠地攻打列强；一方面又暗中派人给大使馆送去粮食和蔬菜，表示慰问。慈禧不许各省督和巡抚出面去打洋人，只让义和团孤军奋战，结果义和团和外国列强损失都很大，列强只好向他们的国家政府求助。

公元 1900 年 6 月 10 日，英、法、俄、美、日、德、意、奥八国派出一支联合军队，由英国海军上将西摩尔率领以"保护使馆"的名义，由天津直向北京攻来。义和团用他们粗笨的武器和抢来的枪支与敌人展开了激烈的战斗。

· 义和团又是拆毁铁路，又是炸断桥梁，使西摩尔一筹莫展。他几次下令派人去天津运送军火和粮食，都被义和团的军队所阻击。西摩尔率领联军在水、陆两路都受到义和团的打击，就只好打道回府，步行逃回天津租界。

八国联军入侵北京没有得逞，再次调来三十二艘军舰和一万多人组成侵略军。侵略军首先攻打天津大沽炮台，以夺下炮台后又在老龙头车站与义和团展开激战。义和团的将士们英勇杀敌，打死打伤五百多名侵略者，阻挡住了侵略军的北上。在天津作战的义和团十分艰苦，这里有外国人的租界地，侵略军能动用重型武器轰炸义军。就在义和团全力围攻租界时，义和团背后却遭到了一支清军袭击。这支清军是北洋军务大臣宋庆率领的，义和团两面受敌，最后作战失败，天津被八国联军占领。

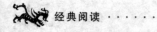

八国联军占领天津后，烧杀抢掠，无恶不作。接着联军又逼近北京。慈禧太后派人向联军求和不成，就带领光绪帝和亲信大臣们狼狈逃向西安。

8月14日，八国联军入侵北京，在北京城烧杀、抢掠了三天之后，又分散到北京各个地方抢财宝、拿文物。

慈禧太后在逃往西安的路上连下指令，向侵略者求和。这时，李鸿章出面和八国政府签订了空前屈辱的《辛丑条约》。这个条约的签订，更加深了中国半殖民地半封建社会的程度。从此，外国侵略者就控制了中国的内政和外交。

义和团的余部为反对《辛丑条约》，举起了"扫清灭洋"的旗帜，继续斗争。义和团运动阻止了帝国主义瓜分中国的阴谋，促进了资产阶级民主革命的兴起。

《辛丑条约》签定以后，腐败的清政府完全成了"洋人的朝廷"。在这种情况下，出现了一批有志之士。他们反对腐朽的清王朝，寻求救国救民的真理，掀起了规模巨大的反清革命运动。

林则徐虎门销烟

zhonghuashangxiawuqiannian

　　清王朝自顺治帝入关以来，经康熙、雍正、乾隆达到天下大治。但目光短浅的官吏们，只看到本国的盛世，邻国的依附，却没有发现远隔万里之遥的欧美各国的发达经济。自以为国威日振，疆土愈固，朝野上下皆傲然自大，视外国一律为夷。自称天朝，闭关自守。而吏制败坏，贪污成风，使中国逐渐由强转弱。

　　乾隆末年，来中国以通商为名的英国特使马戛尔尼，在乾隆帝那儿没有捞到好处，他们并不死心。经过多年处心积虑的探索，终于找到了撬开中国大门的钥匙，他们从罂粟花中提炼出一种有毒的麻醉品，经火煎烤，散发出一种香味，使人吸之，迷迷腾腾，精神兴奋，像是一种享受。一旦上瘾，则很难戒掉。

　　自从鸦片输入中国，开始是一些商人、士绅、官宦子弟吸食成瘾，后来，逐渐扩大到一般平民，士兵中也有一些吸上瘾，特别是士兵，被外国人耻笑为"双枪"士兵。吸食鸦片不仅有害个人健康，甚至断送生命，更重要的是严重损失国家的经济利益，促使大量白银外流。

　　嘉庆末年，皇帝派人前去东南沿海一带调查。据查，嘉庆初年，输入中国的鸦片仅有三四千箱，而现在增加到七八千箱。每箱鸦片从印度购买才 200 多度卢比，到中国后每箱销价竟高达十三四倍。有利可图，就促使英国商人想尽一切方法向中国倾销。而中国的一些不法商贩勾结败坏的官吏狼狈为奸，组织了鸦片输入销售一条线，使鸦片源源不断地输入中国，中国的白银就滚滚向外流去。由于白银外流，银价上涨，铜币贬值，迫使百姓生活愈

加痛苦。嘉庆末年，朝廷已处于内忧外患之中。

嘉庆帝责令两广总督进一步查明鸦片的来源及走私的情况，并采取有效措施。两广总督逮捕了一些鸦片贩子，找到了鸦片贩卖的据点，同时也了解到鸦片贩子偷运鸦片所采用的各种各样的卑鄙手段。此事上奏朝廷，嘉庆皇帝甚感吃惊，为确保国家白银不再外流，缓和农民的反抗情绪，巩固大清的统治地位，嘉庆帝与诸大臣商讨禁烟办法。然而嘉庆皇帝已是有心无力之人了，禁烟措施还没想好，竟于嘉庆二十五年秋撒手人寰，其二子旻宁继承皇位，就是道光皇帝。

道光初年，禁烟办法实施仍不得力，鸦片的输入有增无减，白银也成倍地外流，中国的社会经济开始了急剧的变化。鸦片给中国带来了严重后果，整个综合国力都遭到严重破坏。清政府已清楚地看到鸦片将摧毁自己的统治。

面对此状，道光帝决心采纳汤金钊的建议，诏命林则徐为钦差大臣，节制广东水师，赐尚方宝剑，有先斩后奏的生杀大权，前往广州禁烟。又特赏黄马褂，可在紫禁城骑马，并严厉告诫穆彰阿等人："今后若仍有主张弛禁，严惩不贷！"

林则徐，福建侯官（今福州）人，自幼聪明好学。20岁中举，27岁中进士，为官20多年，忠心耿耿，办事干练，官风清正，铁面无私，不久前由江苏巡抚提升为湖广总督。湖广一带是鸦片走私猖獗地区之一。自林则徐上任以来，对走私鸦片的人绳之以法，捣毁其窝点，严惩其窝主，缴获烟枪5500多件，烟土1.2万多两，狠狠打击了走私鸦片的嚣张气焰。

道光十八年十一月十五日受皇命后的第八天下午钦差大臣林则徐动身去广州。临行前又入宫陛辞，然后上路。亲朋好友相送直到永定门。龚自珍因病不能前来，特派家丁匆匆送来一封送行信。

道光十九年一月二十五日（公元1839年3月10日）林则徐到达广州，前来迎接钦差的官员在两广总督邓廷桢的率领下，恭候在码头的迎宾台两侧，正中摆着香案，四周有士兵守卫着。船越来越近，绣有斗大"林"字的大旗，渐渐靠近天字码头，这时水军提督关天培下令鸣礼炮十九响。林则徐在众士兵的卫护下，来到前来迎接的众官员面前，首先认出邓廷桢和关天培，关天培武举出身，任广东水师提督，为人耿直，秉性忠厚，也是一位禁烟的骨干人物。三人寒暄后，林则徐将道光圣旨供在香案上，率领众人三拜九叩，然后宣读圣旨，从此林则徐、邓廷桢、关天培三人合作全力禁烟。胸有成竹的林则徐，首先肃清走私、包庇、纵容贩毒的贪官污吏。抓住靠鸦片发了横财而又十分猖狂的伍绍荣。伍绍荣原是个买办，上下勾结，走私鸦片，发了横财，花钱买了个三品道员，混入官场，做官后更加肆无忌惮、作恶多端。

伍绍荣自林则徐到广州后，已是寝食不安，自知罪孽沉重，罪责难逃。他被抓到衙门大堂后，立即瘫软在地，如实招认其罪恶：替英酋包销鸦片1万多箱，获赃银10万两。林则徐历数其罪恶，依律处斩了伍绍荣。林则徐杀吴绍荣，又警告了20余名贪官污吏，肃清了内贼后利剑直指英酋。英国驻中国的商务监督义律，是一个阴险毒辣的家伙，一向在中国贿赂贪官，专横跋扈，袒护本国不法商人。这次在中国贩卖鸦片的最大商人是查顿和颠地。查顿闻讯后，在林则徐到广州前几天已悄悄溜走。而颠地靠义律撑腰，又不甘心失去发财的机会，与义律勾结，千方百计地对抗林则徐禁烟。他们以少充多，企图蒙混过关。义律让颠地交出1100箱鸦片，而颠地实际上才交出1037箱，将更多的鸦片隐藏，拒不交出。林则徐派参将李大纲，前去洋行警告颠地，并让他转告义律，不交出全部鸦片，是过不了关的。义律闻讯，知道此计不成，立即召集全体英商，商议对策。什么贿赂、美人计、软泡硬磨、暗杀等等都是些下策，无济于事，最后义律决定诉诸武力。而这些商人又都怕事情闹大，自家生命难保。

义律拒不交出鸦片激怒了广州人民，他们自举地拿起刀枪，将英国洋行团团围住。林则徐下令，将洋行的中国雇员撤出，派1000余名士兵将洋行包围，逼迫义律交烟交人。颠地被吓得趁黑夜悄悄溜出洋行，准备逃往澳门。然而四面八方都是愤怒的中国人，他最后被人们从水中擒获，装在麻袋里。第二天，颠地在威风凛凛的钦差大堂上，老老实实地交待了罪行。并表示愿意交出全部鸦片。林则徐严肃地警告他，这次放你回去，并告诉义律，如果再不交出全部鸦片，将断绝你们的粮、米、水，直到全部交出为止。

颠地回到洋行，如实转告义律。义律望着眼前狼狈不堪的颠地，无奈，只好将鸦片两万多箱共237万斤全部交出。林则徐、邓廷桢及广东巡抚怡良，一起赴虎门验收，并严重警告这些外商必须低头认罪，保证今后再不做鸦片生意。林则徐望着这堆积如山的鸦片，心里十分高兴，这是战胜英酋的重大胜利。上对得起皇上，下对得起百姓。林则徐命人起草奏折将此胜利喜讯奏明皇帝，并请示处理方法。道光皇帝接到林则徐、邓廷桢、怡良的联合奏折，非常高兴。立即传谕：鸦片数量之多，不易运送到京，免生意外，就地销毁，并谕沿海居民及外商在销烟时，前去观看，以震中华神威。道光十九年四月二十二日（公元1839年6月3日）广州城大街小巷贴满了布告：皇上命钦差大臣林则徐于四月二十二日在虎门烧毁鸦片，要沿海居民外商前来观看。

这一天，虎门彩旗高悬，锣鼓震天，无数百姓扶老携幼，从四面八方拥向虎门，如同过年一般，一些外国商人，也集聚在看台周围观看这一空前盛况。看台上，林则徐威风凛凛，坐在中间，左右两侧，坐着邓廷桢和关天培，还有怡良，余保存等人。林则徐神采奕奕地转向关天培说："开始销烟！"关天培大声传令："钦差大人有令：销烟开始！"霎时，万众欢腾，士兵们将鸦片与石灰掺在一起，倒入烟坑，然后放进海水，顿时气泡翻滚，浓烟冲天，散发出一股呛人的气味。200多万斤鸦片，整整烧了23天。这些鸦片终于全部被销毁了，就连池子里剩下的黑渣，也都被冲进了大海。林则徐的销烟运动取得了胜利，可是义律那些英国人是不会善罢甘休的。不久，这些侵略成性的恶人便把这当成借口，发动了罪恶的鸦片战争。

第一次鸦片战争

zhonghuashangxiawuqiannian

虎门销烟沉重地打击了英国商人，他们狼狈逃回英国，极力叫嚣要发动侵略中国的战争。英国外交大臣巴麦尊气势汹汹地说，对待清政府，必要时"先揍他一顿，然后再作解释"。1840 年 2 月，英国内阁正式决定发动侵略中国的战争，因为这次战争是以禁烟为借口的，所以称为鸦片战争，又称第一次鸦片战争。

1840 年 6 月，英国侵略者率领四千多人，携带了五百四十门大炮，分乘三十九艘兵船、轮船和运输船，到达了中国广州的海面。在这里，他们一无所获。因为林则徐早就率领广东军民做了充分的准备，建立了严密的防御体系。英军在海面上东飘西荡，得不到淡水的供应，便用布、帆兜接雨水，但那一点点水怎么够喝呢？他们只好沿海北上。英军路过厦门时，企图进攻厦门，但由于守城兵将的顽强抵抗，进犯没有得逞。他们又继续北上，7 月 5 日，毫不费力地占领了浙江定海。8 月，他们到达了天津白河口。天津是北京的门户，地理位置非常重要，这里却只有八百个士兵防守，兵力很弱。道光皇帝慌忙派琦善去和英军谈判。琦善一面跟皇帝说英军船只坚固，武器又厉害，不能轻易和他们打仗，一面向英军保证，只要他们退回广东，清政府一定惩办林则徐，圆满解决一切问题。英军同意撤兵南下。道光皇帝见琦善退敌有功，便任命他为钦差大臣，负责处理一切事情，并下令将林则徐等革职查办。琦善到达广州后，对英军处处妥协退让，使英军的气焰更嚣张。1841 年 1 月，英军发动突然袭击。进攻沙角、大角两个炮台。三江副将陈连升不顾琦善不准抵抗的命令，带领将士几百人奋起还击。陈连升的儿子陈长鹏也率领几十名士兵与敌人战斗。战斗从上午一直打到傍晚，由于守军是孤军奋战，弹药也打完了，与敌奋战的爱国将士全部壮烈牺牲。在战斗中，陈连升身负重伤，仍然坚持战斗，最后因为流血过多，无力抵抗，被敌人连砍几十刀，倒在了阵地上。他的儿子与敌人拼死战斗，最后力气用尽，跳水殉国了。琦善不顾广大官兵的要求战斗的愿望，背着清政府与英军签订了《穿鼻草约》。这一屈辱的行为让道光皇帝觉得有损天朝的威严，决心对英宣战。英军却认为他们得到的权益还太少，准备进一步扩大战争。1841 年 2 月，英军对虎门炮台展开进攻。水师提督关天培为了能全心保卫祖国的海防，将自己的妻子、儿女和年迈的母亲送回老家，消除了后顾之忧。英军来犯时，琦善居然拒绝派兵增援。关天培没有办法，决定以身殉国。他将自己的旧衣服和一束头发，装在一个木箱里寄回去表示和家人永别。双方的战斗从早上持续到下午，关天培的部下大部分牺牲了，他自己也负伤十几处，衣服都浸透了血水，但仍然坚持指挥战斗。最后，关天培被敌人的飞炮击中，壮烈牺牲了。虎门炮台陷落，英军继续进攻广州。在广州指挥战争的清军大臣杨芳昏庸无能，认为英军有"邪术"。于是，他准备"以邪制邪"，下令搜集民间的马桶放在炮台上，抵御英军的炮火。结果英军毫不费力地破了这个可笑的"马桶阵"，攻入城中。广州知府余保纯吓得心惊胆战，在城上高高地挂起白旗，向英军投降。

英军为了获得更多的权益，进一步扩大战争，先后侵占了厦门、定海、镇海、宁波等地，然后，又集中兵力进攻吴淞炮台。江南提督陈化成力战牺牲后，上海、宝山相继陷落。英军沿长江西上，进攻镇江。副都统海龄（满族）率领爱国官兵同敌人进行了激烈的战斗，最后，守城将士一千五百人全部壮烈牺牲，镇江失守。英军来到了南京城下。道光皇帝急忙叫人和英军议和，签订了《南京条约》。它是中国历史上第一个不平等条约，标志着中国进入了半殖民地半封建社会，中国历史也由此开始了近代时期。

三元里人民抗英

英国侵略者在鸦片战争中轻易取胜，他们以为中国人民软弱好欺，就在中国领土上肆意横行，不可一世。

1841年5月29日，一队英军窜到广州城北的三元里一带公开抢掠，还侮辱当地的妇女，激起了群众的义愤，群众当场打死了七八个侵略者，其余的英军狼狈逃走。

三元里人民料想敌人还会来报复，于是聚集在村北庙前的广场上，商议对策。他们议定以庙中的三星旗为令旗，决心战斗到最后一刻。为了动员更多群众战胜敌人，他们又派人联络附近各乡的村民和手工业工人一起来开会，会上决定在牛栏冈伏击敌人。各乡代表回去后连夜动员，十五岁以上、五十岁以下的男子一律出动。各乡自成单位，连夜赶制武器，准备战斗。

5月30日清晨，三元里一带的人民竖起了"平英团"的大旗，几千人手持锄头、刀矛、鸟枪、木棍等，浩浩荡荡地向英军的营地——四方炮台进发。英军这时正在吃早饭，见士气高昂的群众武装迎面扑来，慌了手脚，连忙吹号集合，调集了二千人准备战斗。三元里人民按照原定的计划，边战边退，把敌人引过来。到牛栏冈时，突然一声锣响，埋伏在那里的七、八千群众突然出现，将敌人重重包围。霎时间，满山遍野都是斗志高昂的村民，侵略者一见形势不妙，慌忙下令撤退。

正在这时，忽然电闪雷鸣，下起了倾盆大雨。侵略者穿着皮靴，又重又滑，行走非常艰难，被群众追击得狼狈不堪。他们的火药全被雨水淋湿了，枪炮失去了作用。三元里人民则披着蓑衣，戴着斗笠，越战越勇，连妇女儿童也赶来呐喊助阵。没有上阵的妇女，自动把饭做好，送到前线。三元里人民采取了分割包围的的策略，将英军团团围住，双方开始了肉搏战。英军这时如惊弓之鸟，有的在泥水中东奔西突，有的站在瓜棚架下发抖，有的跪在地上求饶。在这次战斗中，三元里人民共打死敌人二百多人，俘获十多人，缴获了大量的战利品。

　　下午四时左右，英军增援部队赶到，把在泥泞中挣扎的英军残兵接应回四方炮台。三元里人民跟踪追击，将四方炮台围困起来。第二天，广州附近南海、花县、增城等地四百多个乡的群众，一共十万多人陆续赶来，与三元里群众会和。英军炮台周围矛林立起，杀声四起，英军龟缩在炮台中，不敢出来，只好派奸细混出重围，向广州官府求救。广州知府余保纯慌忙赶到现场，先把当地的士绅劝说回去，又用恫吓、欺骗的手段，把群众驱散，才使英军脱险。6月初，英军撤离了四方炮台，退到虎门。

　　三元里人民的抗英斗争取得了完全的胜利，它是中国人民自发地反抗外国侵略者的第一次大规模战斗，极大地鼓舞了全国人民反侵略斗争的士气。从此以后，民间就流传着这样的话："官府怕洋人，洋人怕百姓。"

太平天国

zhonghuashangxiawuqiannian

嘉庆十八年（1814年）12月10日，一个男孩在广东花县福源水村呱呱坠地，三十七年后，他领导了波澜壮阔的太平天国起义，他就是洪秀全。洪秀全小时候很聪明，七岁上私塾读书，五六年的时间就把四书五经都背熟了。此外还读了不少历史书籍。洪秀全十六岁的时候，家里生活发生了困难，他不能再继续读书了，就回家帮助父亲和哥哥种田放牛，后来乡亲们又请他到本村的私塾学堂当老师。洪秀全一边种地，一边读书。他希望通过科举实现鲤鱼跃龙门的梦想，但一连四次赶考都名落孙山。梦想破灭后，他心情极度苦闷，大病了一场。

洪秀全病好后，根据基督教传道书《劝世良言》中的一些教义，结合中国历代农民战争中提出的"平等"口号，给自己施行了洗礼，并创建了"拜上帝教"。他宣称，"人人都是上帝的子女"，只要入了教，将来就可以达到"四海之内皆兄弟"的美好境地，到那时，天下的男人都是兄弟，天下的女人都是姊妹。

洪秀全和拜上帝教的最早信徒是洪秀全的表弟冯云山，他和洪秀全一起利用各种手段宣传教义，发展信徒。他们不但耐心劝说，还用实际行动来表明对上帝的信仰。

有一次，他们两人各拿一根大棒，雄赳赳气昂昂地赶到村子附近的六乌神庙里，指着庙里的偶像痛骂一顿，然后抡起大棒，劈里啪啦地把偶像全都打倒在地。这一破坏行动，在村子里引起了极大的震动。村里人一向认为庙中的六乌神很灵，谁对六乌神稍有不敬，或者路过的人不进香，轻则大病一场，重则大难临头。可是几天过去了，两人居然平安无事。村里人非常惊奇，便询问原因。洪秀全和冯云山乘机宣传了一番教义。事也凑巧，当时正值雨季，白蚁猖獗，就在两人痛骂六乌神后不久，六乌庙突然涌进了许多白蚁，把庙中的木头都蛀空了。村里人认为这是天意，是上帝惩罚了六乌神，是真神战胜了假神。于是，洪秀全和他创建的"拜上帝教"声名大振。经过几年的传教，入教的人越来越多。1849 年前后，广西连年灾荒，饥民纷纷暴动。洪秀全认为起义的时机成熟了，就发布总动员令，号召各地的入会群众到金田村集中。

1851 年 1 月 11 日是洪秀全三十八岁的生日，这天他在金田村庄严誓师，宣布起义，建号"太平天国"，起义军称太平军，洪秀全称大王。清朝政府得知消息后，急忙从各地调兵遣将镇压太平军。洪秀全亲自指挥将士们还击，在金田村附近打了几个胜仗后，向北军进军。9 月，太平军攻下了广西永安。在这里，洪秀全下诏封王：东王杨秀清，西王肖朝贵，南王冯云山，北王韦昌辉。这些王中，东王杨秀清的权力最大，可以指挥其他各王。太平军废止了清朝的剃发制度（清朝政府强迫男子把前面的一半头发剃掉，后面的一半留下来梳成辫子），开始留发，所以被清军污蔑地称为"长毛"。太平军在永安遭到清军的围攻，奋力突围后，长驱北上。1852 年 6 月，太平军攻克全州，在攻城激战中，冯云山不幸中炮牺牲。接着，太平军进入湖南，占领道州（今道县）、郴州（今郴县）等地。一路上，太平军发布讨伐檄文，痛斥清朝的黑暗统治，号召人们起来推翻清朝政府的统治，建立美好的太平社会。广大贫苦群众踊跃参军，其中，数千名挖煤工组成土营，增加了攻城的战斗力。后来在攻取益阳、岳州时，又有大批船民参军，组成"水营"。随后，太平军水陆并行，挺进湖北，占领武昌。

1853 年 2 月，太平军顺长江东下，一路势如破竹，接连攻下九江、安庆和芜湖。3 月 19 日，一举攻克南京，太平军把迎风飘展的革命大旗插上了南京的城头上。太平军把南京改称为天京，定为都城，正式建立了太平天国政权。

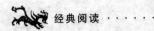

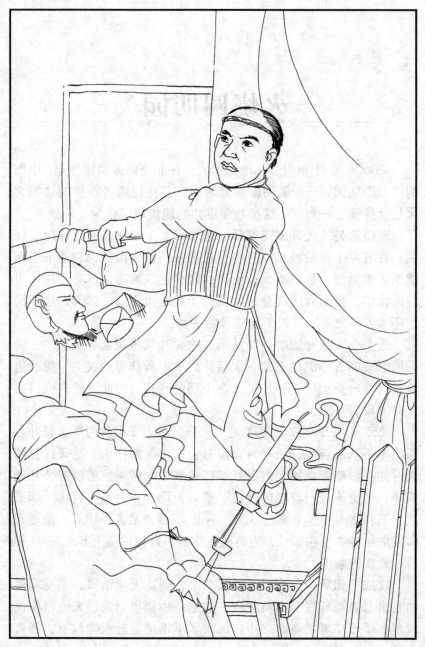

火烧圆明园

1860 年 10 月 18 日，一场冲天大火在北京西郊熊熊燃起，中国的"万园之园"——圆明园四处着火。英法侵略者点燃的这场大火足足持续了一周，将这座壮丽雄伟的建筑瑰宝化为一片焦土。

圆明园是清代许多建筑师、艺术家、工匠和普通百姓用血汗在一百五六十年的漫长岁月中营造出来的巨大园林，它兼采中西建筑艺术精华，是一座无与伦比的园林建筑珍品，也是一座珍贵的博物馆，里面有历代皇帝收藏的无数珍贵文物。然而，这样的一座"万园之园"却毁于侵略者的贪婪。

这个令人屈辱的事件要从第二次鸦片战争说起。英、法、美等国家侵略者不满足于第一次鸦片战争中所获得的权益，想胁迫清政府修改条约以进一步扩大在中国的特权。为此，他们准备再次对清政府开战。

1857 年 12 月，英法联军进攻广州。负责守卫的两广总督叶名琛根本不认真备战，只是每天按时祈求神灵的保佑。结果仅仅两天时间，侵略者就用大炮轰开了广州城。叶名琛虽然没有公开地投降，但也不进行丝毫的抵抗，被人讥讽为"六不"官员（即不战、不和、不守、不死、不降、不走）。他被敌人俘虏后，遣送到印度加尔各答，在那里，为英国人作画，自称"海上苏武"，一年后，死在囚禁中。

攻战广州后，英法联军继续北上，到达天津沽口。主持军事的直隶总督谭廷襄等官员在敌人的炮声中望风而逃，大沽口很快就落在了侵略者的魔掌之中。英法联军迅速逼近天津城下，扬言

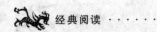

要攻打北京。咸丰皇帝慌成一团，急忙派官员前去天津议和，于是又分别和英、法、美签订了丧权辱国的《天津条约》，承认外国侵略者在中国的许多特权。

1859 年 6 月，英法两国公使要到北京和清政府交换条约文本。咸丰皇帝虽然接受了条约的全部内容，但他还想争回一点天朝上国皇帝的面子，他要求外国公使行走北塘（天津地名），并不得携带武器，在觐见他的时候，必须双膝跪下来磕头。哪知英法公使根本不理睬，他们擅自闯入大沽口，轰击炮台。守卫大沽口的爱国将士，不顾清政府的"不准还击"的荒唐命令，奋勇抵抗。经过一昼夜的激烈战斗，英法舰队狼狈逃走。他们叫嚣着要实行大规模的报复，好好教训中国人，要攻打中国沿海各地，占领北京，把皇帝赶出皇宫。1860 年春，英法两国又派大批侵略军来到中国，他们一路攻下舟山、烟台、天津和北京附近的八里桥，咸丰皇帝惊恐万状，以检查战备的名义离开北京，逃往热河行宫躲避战火。10 月初，英法联军占领了北京。10 月 5 日，他们以为咸丰皇帝还在圆明园内，就在当天晚上闯入了圆明园。联军头目认为，圆明园是清朝皇帝最宠爱的宫殿，毁坏它，可以打击清政府，使中国及其皇帝产生极大的震动，于是下令官兵可以任意抢劫。

侵略者的贪婪本性在此暴露无遗，他们大肆劫掠，恣意破坏。面对无数的珍宝玉器，贪婪的士兵们眼花缭乱，不知到底拿什么东西好。最后，他们把所有能搬走的金银珠宝、精美丝绸、珍贵文物和各种价值连城的艺术品全部搬走了，不能搬走的珍贵瓷器就被打了个粉碎。整个"万园之园"一片狼藉。

法国著名的文学家雨果在写给朋友的信中，愤怒地斥责英法侵略者的暴行。他说道："我们欧洲是文明人，在我们眼中，中国人是野蛮人，可是你看文明人对野蛮人干了些什么！"

天 京 风 云

zhonghuashangxiawuqiannian

太平天国起义以来，一路进展顺利，取得了军事上的辉煌胜利。然而在定都南京后，太平天国领导集团内部发生了严重的分裂，这就是著名的"杨韦事变"，又称"天京事变"。

矛盾首先发生在洪秀全和杨秀清之间。

杨秀清出生在一个烧煤工的家庭，识字不多，但特别聪明，参加太平军以后，表现了杰出的指挥才能，被封为东王，掌握了太平天国的军政实权。太平天国定都南京后，他居功自傲，开始争权夺利。有一次，他假托"天父"附身，将洪秀全召到东王府，洪秀全不得不按习惯跪到他面前听"天父"的训示。杨秀清假托"天父"对洪秀全说："你和东王都是我的儿子，东王有这样大的功劳，为什么只称九千？"洪秀全不得不回答道："东王功劳高，也应当称万岁，而且世世代代都是万岁。"听到这些后，杨秀清高兴地说："我回天去了！"随即"清醒"过来。

洪秀全不甘心被杨秀清要挟，他回到天王府后，就派人秘密召回韦昌辉和石达开，要他们带兵对付杨秀清。

韦昌辉早就对杨秀清心情不满，接到命令后，他马上带心腹部队三千人赶回天京，乘杨秀清没有准备包围东王府，杀了杨秀清和他的全家。接着又大肆屠杀东王的亲族、下属和官兵，共计二万多人。尸首顺着长江漂流而下，沿岸百姓惊吓不已，就劝韦昌辉不要杀人过多，韦昌辉不但不听，反而要杀石达开。石达开慌忙连夜逃出天京，结果在天京的家人都被韦昌辉杀死了。

韦昌辉的暴行引起了天京军民的愤怒。洪秀全下令捉拿韦昌

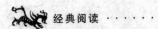

辉，天京的百姓和广大将士齐心协力讨伐他，在两天之内，就把韦昌辉及其部下全部消灭了。随后，天京的广大人民热烈欢迎石达开回来主持军政大事。

然而，洪秀全在经过一场血雨腥风的斗争后，已经不信任其他将领了。他处处牵制石达开，封自己的哥哥为王，以分散石达开的权力。而石达开也对洪秀全有些不满。他看不惯天王的奢侈风气（每次天王出巡都伴随有轿夫六十九人，仪仗队上千人，还有虎灯开道，而且每顿饭至少有四十六个菜肴，如此等等），觉得在天京已经没有施展抱负的机会了，于是不辞而别，率领十万兵马南下，经过这一连串的变故，太平军的实力被大大削弱。

清政府趁太平军集团内部发生分裂的大好时机，加紧了调兵遣将。一方面重用一些有军事才能的汉人地主，组建一支战斗较强的军队；另一方面，向英法联军妥协，和他们签订了《北京条约》，取得了外国侵略者的支持。中外反动势力开始联手镇压太平天国运动。

在这危急时刻，洪秀全起用了一批年轻的将领，如陈玉成、李秀成等，并任用从香港回来的洪仁玕总理朝政。这些太平军将领团结一致，打破了清军的多次围攻，使太平天国度过了严重的军事危机。但"天京政变"已使太平军的元气大伤，"天国"的号召在群众中已以没有多大的吸引力了。于是，曾国藩统辖湘军再次向太平天国发起了全面进攻。终于在1864年攻破了天京城。

太平天国运动虽然由于自身的领导失策和内部政变削弱了力量，最终被镇压，但它坚持斗争长达十四年，沉重地打击了清王朝。

垂帘听政

zhonghuashangxiawuqiannian

　　在英法联军进攻北京前夕，即 1860 年 9 月，咸丰皇帝急忙带着他的皇后、妃子和大臣们逃到热河承德避暑山庄躲避。第二年八月二十二日，又惊又怕的咸丰皇帝死在了承德。户部尚书肃顺、怡亲王载垣、郑亲王端华等八位大臣奉遗旨，让咸丰皇帝唯一的儿子载淳即位，改第二年为祺祥元年，尊皇后为"母后皇太后"，尊载淳的生母叶赫拉氏为"圣母皇太后"。后来，又分别尊称两位皇太后为"慈安皇太后"和"慈禧皇太后"。八位大臣负责协助皇帝处理政事。

　　叶赫那拉氏出身于一个小官僚家庭，父亲曾做过安徽道台。她为人机警，熟悉阴谋权术，很有政治野心。咸丰二年（1852 年）入宫后，她逐步取得了咸丰皇帝的欢心，生下儿子载淳，被封为懿贵妃。咸丰皇帝死后，她被封为慈禧太后。但她并不满足而想乘机夺取最高权力。

　　慈禧太后先是暗中指使人上书说：皇帝年幼，请求皇太后垂帘听政。当时掌握大权的八大臣以清朝没有垂帘听政的先例为借口，拒绝了这个要求。慈禧太后怀恨在心，暗中寻求支持力量，准备发动政变，废除掌握权力的八大臣。

　　当时在八大臣之外的恭亲王奕訢，没有跟随咸丰去热河，而是留在北京和外国侵略者签订条约。咸丰死后，他没有得到多少权力，因而对政治格局大为不满，于是准备和慈禧太后联合发动政变。为此，他积极拉拢在北京、天津地区掌握兵权的胜保等人。

　　1861 年 10 月 26 日，慈禧太后叫肃顺护送咸丰皇帝的棺材，从

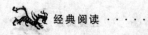

经典阅读 ······

大道回北京，而她自己则从小路抢先赶回北京。11月1日，慈禧回到京城后，马上与奕䜣、胜保等人秘密联络。第二天，就下令逮捕在京城中的端华等人，肃顺刚到密云（北京郊县）也被逮捕了。接着，慈禧下令将肃顺处死，命载垣和端华自杀，将其他五大臣分别革职或者充军。11月11日，载淳在太和殿举行登基大典，把年号"祺祥"改为"同治"，慈禧太后和慈安太后宣布"垂帘听政"。

从此，慈禧太后掌握了清朝的最高统治权。

1874年，同治皇帝已满十九岁，可以亲自处理政事了。按规定，慈禧太后必须宣布结束"垂帘听政"，让出权力。可是，同治皇帝却突然驾崩了。由于同治皇帝没有子嗣，按照规定，新皇帝应从同治皇帝的儿子或侄子中选出，这样一来慈禧太后就是"太皇太后"（皇帝的祖母）了。但慈禧太后为了继续"垂帘听政"，控制朝廷大权，就凭借自己的权势，选了同治皇帝的一个年仅四岁的堂弟继承皇位，这就是光绪帝。

从此，慈禧太后一直把持着清朝的统治权不肯放手，她统治中国长达四十七年之久，做出了许多祸国殃民的事情。

洋务派图强

太平天国时期，清政府借用外国侵略军者的力量，大量使用洋枪洋炮，挽回了节节败退的形势。太平天国的战火熄灭后，一部分开明的清朝官吏认为，要长久地巩固清王朝的统治，就必须向西方国家学习。他们主张学习西方的科学技术，仿造西方的船炮，采用西法练兵。当时的人们把这批官僚称为"洋务派"。

洋务派的主要代表人物，在中央以奕䜣为代表，在北方以曾国藩、李鸿章、左宗棠、张之洞为代表。他们以"自强求富"为口号，在军事、政治、经济、文教等方面，采取了一系列改革措施，掀起一场洋务运动。

洋务运动首先采用西方资本主义国家的先进技术，兴办军事工业开始。为了加紧镇压太平天国起义，清政府迫切需要大量新式武器。1861 年，曾国藩在安庆设立了军械所，主要制造枪炮弹药。这是洋务派建立的仿制西式武器的第一个军事工业。接着，1862 年，李鸿章在上海建立制炮局，雇用洋人制造开花炮弹、自来火等。太平天国起义被镇压后。清政府为了继续镇压其他各族人民起义，又在南京设立了金陵机器局，在上海设立了江南制造总局，在福州设立了福州船政局等。

洋务派举办的这些军事工业，在中国属于新鲜事务，因而没有经验，处处都要依赖外国。机器设备和材料要从外国进口，技术人员要从外国聘请，因此经常有上当受骗的情况。如，引进的机器大多是陈旧或者是将要被淘汰的，浪费了不少资金；聘用的洋技师，有的心怀不轨，不能真心实意地帮助清政府办企业，有

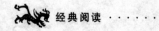

的是技术很差，在本国混不下去才来到中国的。结果，制造出来的机器性能就可想而知了。例如，江南制造总局的一艘"保民"号铁甲兵船，下水试航，只能前进或后退，不能调头转身，结果只好开倒车，慢慢地退回原处，重新拆装；金陵制造的七门大炮，拿到大沽口炮台试放，结果有两门大炮一点火就发生了爆炸，负责制造的洋"技师"亲自跑到大沽口试放，也发生了爆炸，余下的几门就没人敢试了。

这些军事工业建立起来以后，需要大量的资金来解决原料、燃料和运输等问题。于是，洋务派就提出了要"自强"必须先"求富"的口号，兴办了一些既能赚钱，又能满足工业需要的民用工业。1872 提，李鸿章在上海开办了轮船招商局，1877 年他又开办了开平矿务局；张之洞也开办了汉阳铁厂、大冶铁厂等一系列民用工业。

为了适应办洋务的需要，洋务派还设立了一批外交学馆，派遣留洋学生。1862 年，在北京成立了同文馆，以培养外语人才为主，兼学天文、历史和数理化等。接着，上海、广州等地也仿效建立了外文学馆。1872 年，在曾国藩的奏请之下，清政府派遣第一批学生到美国学习。

在兴办这些军工企业的同时，洋务派还积极筹划海防。在十年的时间里，初步建立了南洋、北洋和福建三支海军，设立了海军衙门，总理海军、海防事务，实权掌握在李鸿章手中。

洋务派在办学的过程中，提出了"中学国体，西学为用"的口号，意思是洋务运动应以当时的封建制度为本，采用西方的技术，办企业、开工厂、铁路、矿山、学堂等，以巩固封建地主阶级的统治。

洋务派在中国建了一批近代工业，引进了西方的某些先进技术，培养了一批科技人员和技术人员，在一定程度上推动了我国社会的发展。可是，在后来的中法战争和中日战争中，洋务派建立的福建海军和北洋海军全军覆灭，宣告了洋务运动的破产。

张之洞创办实业

在中法战争中，七十岁的老将冯子材带领广西军民英勇作战，打得法国侵略军落花流水，赢得了中法战争的胜利。而在战争爆发前，向朝廷推荐起用冯子材的，是两广总督张之洞。

张之洞是直录南皮（今河南南皮人）。祖父当过福建古用县知县，父亲做过贵州兴义府知府。张之洞从小非常聪明，读书很用功。公元1852年，张之洞考中举人。这一年他才十五岁；公元1864年又中了进士，当了翰林院的编修。以后，他做过负责浙江乡试的副考官，负责教育湖北学政、四川学政。

公元1881年，张之洞前往山西担任巡抚。山西官场风气的腐败，百姓生活的困苦，鸦片流毒的严重，对张之洞震动很大。他开始惩治贪官污吏，严禁鸦片，提拔人才。当时，有个英国传教士李提摩太在山西传教，他刊印了《救时要务》等小册子，还举办了仪器、车床、缝纫机的展览和操作表演。张之洞会见了李提摩太，读了他的书，受到启发。从那时起，张之洞产生了要办实业的想法。

公元1884年，法国侵略越南，中越边境的形势一下子变得紧张起来。张之洞立即上奏，提出加强云南、广西的兵力，整修天津、广东的海防。不久，张之洞被任命为两广总督，去广东上任了。

中法战争爆发前，张之洞向朝廷大车力推荐冯子材；战争爆发后，他为前线筹集军饷、提供兵器，为赢得中法战争的胜利作出了贡献。

张之洞越来越感到，中国与西方在军事、经济等方面存在着

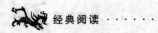

经典阅读 ······

巨大的差距，只有向西方学习，大力兴办实业，发愤图强，才能挽救民族的危亡。

于是，张之洞在广东开设了水陆师学堂，创办枪弹厂，购买军舰，发展海军，创办用机器造钱币的制钱局及银元局，筹办织布局和制铁厂。这是他兴办实业的开始。

张之洞大规模地办实业，是在到了湖北以后。公元1889年，他上奏朝廷，建议修筑一条从卢沟桥到湖北汉口的卢汉铁路，这样可以贯通南北的交通。他认为修铁路有不少好处，首先是可以把铁路沿线和矿产、土特产品运出去，对改善百姓的生活有好处；其次是可以运输军队需要的兵员和军饷。

朝廷同意了张之洞的建议，计划将卢汉铁路分北南两段修筑。北段由直隶总督负责修筑，南段由湖广总督负责修筑。于是，张之洞被调任湖广总督。

这一年冬天，张之洞到了湖北。除了筹办卢汉铁路，他把大量的精力放在办军事工业和民用工业上。由于是外行，他也闹过一些笑话。为了筹建汉阳铁厂，他打电报给驻英公使薛福成，要薛福成在英国订购炼钢厂需要的炼炉和机器设备。英国一家工厂的老板告诉中国的采购人员："要办钢厂，必须先将那里的铁矿石、煤、焦炭寄来化验，这样才能知道煤铁的特点，可以炼哪种钢，然后再订购相应的炼炉和设备。一点都不能马虎。"

谁知张之洞不以为然地回答："中国这么大，什么东西没有？何必先打煤铁，再买炼炉和机器设备？只要照英国钢厂用的买下来就行了。"

结果，买回来的炼炉和设备安装在汉阳，铁用的湖北大冶的，煤用的是安徽马鞍山的。但是，马鞍山的煤无法炼焦，没办法，只好从德国买几千吨焦炭，这样从公元1890到公元1896年，花了五百六十万两银子，还是没有炼出一炉钢。后来改用江西萍乡的煤，但炼出来的钢太脆，容易断裂。张之洞这才知道他从英国买回来的炼炉和设备采用的是酸性配置，不能去磷，钢含磷太多，就容易脆裂。后来，他向日本借款三百万元，买回碱性配置的炼炉和机器设备，终于炼出了优质的钢。

汉阳铁厂到底还是建成了。它是一家钢铁联合企业，包括炼钢厂、炼铁厂、铸铁厂等大小工厂十个，工人三千名，外国科技人员四十名。汉阳铁厂是中国近代第一个大规模使用机器生产的钢铁企业，在亚洲也是首创的最大的钢铁厂，日本的钢厂建设还比它晚了几年。

也是在这一时期，张之洞还办起了湖北织布局，织布局有纱锭三万枚，布机一千张，工人两千。织布局办得比较成功，赚了不少钱。

张之洞还创办了制砖、制革、造纸、印刷等工厂，建起了湖北枪炮厂。办实业需要大批的人才，所以张之洞也很重视教育，在湖北建立了农务学堂、工艺学堂、武备自强学堂、商务学堂，还派遣留学生去日本，学习西方先进的科学技术。

张之洞办实业、兴教育，是为了维护清王朝的封建专制制度。不过，他有富国强兵的良好愿望，客观上也促进了民族工业的发展和新文化的传播。

——首批留学生赴美——

民族危机的不断加深，使有眼光的知识分子意识到，要富国强兵，振兴国家，就必须学习和掌握西方先进的科技文化。公元1872年8月11日，中国第一批公派留学生三十人从上海搭船前往美国，开启了近代中国留学生运动的先河。这件事情的具体策划者就是近代中国第一位留学生——容闳。容闳是毕业于美国名牌大学的第一个中国人。少年时亲眼看到祖国的贫穷落后与亲身领略美国的繁荣强盛，使他向往资本主义，希望振兴祖国。还在念大学四年级的时候，他就开始酝酿一个宏伟的计划：劝说清政府赶快向美国派遣留学生，用学到的知识，为国效劳，使中国变得强大起来。心动不如行动。1854年，容闳怀揣他的"留学计划"，毅然回国。回国后，为了实施自己的"留学计划"，容闳四处奔走了将近十年工夫，希望取得清朝官员的支持和帮助，却不料屡屡碰壁。其实原因也不奇怪。当时，绝大多数官员夜郎自大，他们把学习西方看作是"以夷变夏"（用蛮夷文化改变中华文化），臭骂西方科技"奇技淫巧"，当然对容闳就不会理睬了。正在他走投无路的时候，突然来了机会。公元1863年，经人介绍，容闳认识了曾国藩。曾国藩交给他六万八千两银子，要他去美国采购机器设备。容闳出色地办成了这件事，因此博得曾国藩的信任。公元1870年，容闳向曾国藩提出自己酝酿已久的派遣留学生出洋的"留学计划"。曾国藩很感兴趣，就叫容闳代为起草一道名为《挑选幼童赴泰西肄业章程》的奏折，约上李鸿章、丁日昌一起签名上奏朝廷。

第二年，清廷答应把派遣留学生的问题摆上议事日程，同意

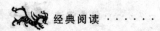
经典阅读······

在上海设立幼童出洋肄业局，在美国设立中国留学生事务所，任命陈兰彬、容闳为正、副监督。按照"留学计划"，留学生所需经费由海关支付，学生年龄从十岁到十六岁，招生名额为一百二十名，分四批派遣，先招三十名，结业后一律回国，安排差事。

公元1871年，容闳等人就开始张罗起招生的事情。可是，由于长期闭关锁国，老百姓都把到外国去当作流放，更何况送自己的孩子出洋必须画生死押，许多家庭都不大愿意冒这个风险。容闳在上海想尽办法，还是无法招满三十名学生，不得不南下香港招生，费了好大劲才凑满三十个招生指标。容闳招收的第一批留学生，大多数是穷人家的子弟。他们先被安排在上海进行中西文训练，并做一些出国前的准备。公元1872年8月，第一批官费留学生在陈兰彬带领下，前往美国。接着，连续三年，一直到公元1875年10月，清政府总共如期派出四批一百二十名幼童赴美。这些幼童来到异国他乡，穿戴仍和国内一样，脑后挂长辫，身穿长衫马褂。他们被安置分住在美国友人家中，接受家庭式的教育和监护，等到过了语言关后，再送进中小学校读书。几年后，他们中的不少考上了大学，学业上的进步也非常显著。经过几年的留学生活，留学生们接受了西方文化，行为规范也慢慢地起了变化。比如有些学生感到留长辫子不方便，就偷偷剪掉；有些学生对体育锻炼很感兴趣，就脱掉长袍，在运动场上奔跑起来。

对这些很正常的行为，满脑子封建思想的陈兰彬横竖看不惯。他蛮横地要求留学生每天早晨要面朝东方向皇帝磕头，严禁他们参加集会活动。有一位学生考取了哈佛大学，只因为他入了基督教，就被陈兰彬勒令退学。容闳不满意他的做法，两人发生了矛盾。这时国内的一些守旧分子也借题发挥，从中作梗。清政府于是在公元1881年下令撤回全体留学生，容闳经办多年的"留学计划"就这样半途而废了。尽管如此，容闳的心血没有白费，因为这些归国留学生，大多数学有所成。他们中间有成为"中国铁路之父"的詹天佑，有成为中国第一批矿业工程师的邝荣光，更多的则成为军界、学界、商界的栋梁之才。

 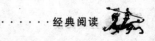

中法之战

外国侵略者在协助清政府镇压了太平天国起义以后，更加肆无忌惮地在中国领土上扩张势力。法国唯恐落后，也把矛头指向中国，他们叫嚷着"必须征服那个巨大的中华帝国。"不久，法国侵略者就在中国的西南地区挑起了战争。

1884年7月，法国舰队以"游历"为名，强行开进了福建水师基地马尾军港。但李鸿章命令属下，不许随便开战。因此，清朝官吏既不加以制止，也没有积极备战，于是出现了世界战史上一幕奇怪的场景：交战双方的军舰并排停泊在一个军港内。在清军毫无准备的情况下，法军乘机将福建水师包围起来，向清军发动了突然袭击。福建水师的爱国官兵奋起抵抗，最后在敌人的猛烈炮轰下，中国舰队全部被击沉，水师官兵死伤七百多人。马尾惨败的消息传出后，举国上下一片哗然，纷纷痛斥清政府的不抵抗政策。清政府在全国舆论的压力下，于8月26日正式对法宣战。广大爱国官兵顿时士气高涨，要求坚决抵抗法国侵略者的进攻。1884年10月，法国分别从海上和陆上向中国发起了大规模的进攻。10月初，法军统帅孤拔率领舰队进犯台湾的基隆和淡水。台湾爱国军民奋勇抵抗，当地的百姓有五千多人参加了战斗，并捐款支援前线的战争。清军有意放弃基隆，坚守作战位置较好的淡水，并在这里挫败了法军的进攻，粉碎了法军夺取台北的计划。1885年3月，法军又进犯浙江镇海，也遭到了当地守军的猛烈反击。在炮战中，法军统帅孤拔受了重伤，不久死在澎湖岛上。

在陆上，1885年2月，法国侵略者向谅（liàng）山（在今越

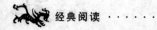
经典阅读 ······

南境内）发起大规模的进攻。谅山守将在敌人来到之前，连夜北逃，逃进镇南关后，还不敢停止，继续北逃。在这种情况下，法军轻易地占领了谅山。逼近广西镇南关（今友谊关）附近。法国侵略者狂妄地在镇南关竖起一个木牌，上面写着："广西的门户，已不复存在了。"镇南关人民针锋相对地回复道："我们将用法国人的头颅重建我们的门户！"

在群情振奋的情况下，七十多岁的老将冯子材来到前线，指挥抗法战争。冯子材在战争前夕，进行了认真的准备。他在镇南关内十里的关前修建防御工事，沿着山坡筑起了一道防御墙，在墙的旁边挖了战壕。他把军队分为三部分，列成"品"字阵形，互为犄角，相互援助。

3月23日，中国军队和法国侵略者在关前隘正式展开决战。激战一天后，防御墙有几处被法军攻破，法军乘机冲了进来，冯子材率领部下沉着应战，视死如归。他大呼一声，手执长矛，跃出城墙，与敌人搏斗。士兵们看到自己的主帅带头冲锋，便一齐出击，以排山倒海之势冲向敌人。当地的壮、瑶、彝、白、汉等各族人民和越南的起义军也纷纷前来助战，将法军团团围住。法军一时乱了阵脚，四处奔跑，法军主帅也受了重伤，率领残部狼狈溃逃。冯子材乘胜追击，于29日收复了谅山。这就是震惊中外的镇南关大捷。

镇南关大捷以后，全国人民奔走相告，欢欣鼓舞，准备和法国侵略者作战到底。可是，这时的清政府却认为乘胜即收，可以和法国讲和，"否则又兵连祸结"。因此，掌权的慈禧太后立即下令停战、撤军，并委派李鸿章为全权代表，负责和法国签订条约。李鸿章和法国代表在天津签订了《中法会订越南条约》（即《新中法条约》），法国在谈判桌上得到了在战场上没有取得的权益。

法国作为一个战败国，享受战胜国的利益；而中国作为战胜国，却甘受战败国的损失。因此，当时有人评论这次战争是"法国不胜而胜，中国不败而败。"

冯子材大败法军

中法战争爆发之后，除了中国战场以外，在越南北部，战争分东西两路进行，西路为云南边界，东路为广西边界。负责东路战事的是广西巡抚潘鼎新。

公元1885年2月，法国增兵越南，进攻谅山，直扑中越边境。13日深夜，法军还没有到达，贪生怕死的潘鼎新便一把火烧掉谅山城，退回镇南关（今友谊关），还觉得不安全，又继续逃到离关一百四十里的龙州。法军如入无人之境，十天后轻而易举占领了镇南关。就在这危急的关头，清廷起用年近七旬的老将冯子材，前往镇南关抗击法军。

那时候，法军的气焰非常嚣张，竟在镇南关竖立木牌，用汉字写道："广西的门户，已不复存在了！"他们以为广西已经失去了屏障，中国人就只好举手投降了。但是，法军的如意算盘打错了。镇南关一带的民众也在关前插立木柱，针锋相对地回敬道："我们将用法国人的头颅，重建我们的门户！"

冯子材赶到镇南关后，马上召集各路将领开会，商讨对付法军的办法。他听说当地有个叫蒙大的人很有名，就亲自上蒙家村去拜访。冯子材请教蒙大有什么办法能打退法军。蒙大指在着村外的山谷说："这关山如同大鱼张口，法军孤军入关，插翅难逃，地形对我们是很有利的。"

冯子材采纳了蒙大的意见，并结合敌情，最后选中离镇南关十里的关前隘作为预设战场。他派部队在隘口抢筑起一道三里多长的土石高墙，墙外挖掘一米多深的战壕，使东岭、西岭与长墙

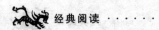
经典阅读 ······

连成整体防线。同时，把粤军、湘军和淮军等不同番号的清军，统一编制成左中右三路。

一切准备就绪，冯子材决定先发制人。3月21日，冯子材率领一支队伍，夜袭法军占据的文渊城，一度冲到市中心，并击毁了山头上敌人的两座炮台，杀死了许多守城法军，大大提高了清军的士气。

清军的主动出击，使骄横的法军恼羞成怒。法军头目尼格里等不及援兵到齐，就提前发起进攻。3月23日清晨，法军趁着大雾，倾巢出动，向关前隘猛攻，他们凭借炮火优势，攻陷了东岭三座炮台，居高临下，直扑关前隘长墙。冯子材大声喊道："如果再叫法国人打进关来，我们还有什么脸面去见两广的父老乡亲！"

在主帅爱国激情的鼓动下，将士们奋不顾身冲出长墙，拼死抗击，终于挡住了法军的疯狂进攻。这场恶战结束后，冯子材估计法军会重新反扑，就以"誓与长墙共存亡"的壮烈誓言，鼓励部下提高警惕，捍卫长墙。

不出所料，第二天拂晓，尼格里又指挥法军分作几路，杀气腾腾地再一次猛扑关前隘。隆隆的大炮响个不停，阵地上一片火海，双方都有很大伤亡。冯子材下了一道死命令："我们与法国人决一死战的日子到了，希望大家奋勇杀敌，谁要是临阵逃跑，一律杀头！"

法军的攻势越来越猛，射过来的开花炮弹像雨点似的落在冯子材身旁。他的侄子请他稍作退避，他立刻咆哮道："怕炮弹还打什么仗！我是宁死不退的，谁说退就是动摇军心。"

在大炮掩护下，法军像恶狼一样猛扑过来，有的爬过了清军防守的壕沟，有的甚至越过长墙，形势千钧一发。冯子材当机立断，手持长矛，大吼一声："冲啊！"奋不顾身地带头冲向敌阵。他的两个儿子也紧跟着跃出长墙，抢起大刀，左冲右突，奋勇砍杀。全军将士士气大振，潮水似的涌出栅门，一齐杀入敌阵，刀劈枪挑，与法军展开短兵相接的肉搏战。法军吓得目瞪口呆，霎时乱了方寸。突然，阵后又杀声大起，当地壮族、瑶族、白族、彝族、汉族，以及越南群众一千多人风驰掣般冲杀进来。法军溃不成军，一个个丢盔弃甲，四处逃窜。

冯子材接着挥师乘胜追击，一举收复了文渊城和谅山。这一仗，总共消灭法军一千多人，法军头目尼格里也身负重伤，由士兵抬着逃走。

镇南关之战，是中法开战以来最大的一次战役，从根本上改变了中法战争的局势，使中国反败为胜。

法国的茹费里内阁被迫倒台，但是，腐败的清廷却一心求和。这年6月，李鸿章与法国代表在天津签订屈辱的《中法新约》。法国把越南变成了殖民地，同时打开了中国西南地区的门户。

左宗棠收复新疆

左宗棠（1812~1885），湖南湘阴人。他从小就对历史地理方面的书籍很感兴趣，十八、九岁的时候，就读完了明末清初著名思想家顾炎武的《天下郡国利病书》和著名的历史地理学家顾祖禹的《读史方舆纪要》等历史地理方面的著作。不久，他又绘制了一套历代的疆域地图，其中包括各省的概况，对祖国的概貌有了较为详细的了解。

左宗棠在研究祖国的历史地理时，面对外国侵略者的入侵，特别重视西部边疆的安危。他在二十一岁的时候，观察时局的变迁，就提出一定要在新疆"置省"、"兴屯"。四十年之后，新疆发生了危机，这时已经年过花甲的左宗棠，力主进军新疆，维护祖国领土的完整。1875 年 4 月，清政府任命他为钦差大臣，督办新疆事务。

当时新疆的形势是这样的：在中国西部境外有个名叫浩罕的小国家，它的军事头目是一个叫阿古柏的野心家。1865 年，阿古柏带兵侵入我国的新疆地区。两年以后，他在新疆宣布建立一个独立的王国，自称大汗对当地的我国人民实行残酷的统治。因为沙皇俄国早就阴谋侵占我国新疆的领土，阿古柏非法侵入新疆建立政权，立即得到沙俄的承认，双方签订非法条约，共同侵占新疆。这时的英国侵略者也不甘落后，通过承认阿古柏的政权，也取得了一系列的侵略特权。

左宗棠带领西征军进军新疆。他规定，凡是不愿意参加西征的官兵，发给一些补贴，可以回家，最后他带领汀军二十五营、豫军十六营，还有满族将领统率的军队四十营，浩浩荡荡地开进了新疆。

左宗棠根据他青年时代学习的丰富地理知识，以及新疆幅员辽阔的具体情况，分析了当时的形势：军队需要长途行军，后勤补给困难，要采取"缓进急战"、"先北后南"的战略方针。

经过四个月的"缓进"准备，西征军于1876年8月10日向阿古柏的军队发起了突然袭击。左宗棠带领将士奋勇作战，经过四天的"急战"，攻克了古牧地（今新疆米泉市牧地镇），然后又一鼓作气收复了乌鲁木齐。初战告捷，清军士气高涨。

为了收复吐鲁番，左宗棠仍采取"缓进急战"的方针。他在战前进行了充分的准备，关于后勤补给问题，不再使用长途运粮的办法，而是紧紧依靠当地人民，搞好军民关系，在吐鲁番附近就地解决军粮问题。一切准备就绪后，1877年4月14日，清军出其不意地包围了阿古柏的军队，一举歼灭敌人两千多人，俘虏了一千多人，并迫使敌军一万多人投降，清军成功收复了吐鲁番。

在清军的步步进逼下，阿古柏的军队士气消沉，政权内部十分混乱。5月，阿古柏被部下杀死，他的余党有的投奔沙俄，有的向清政府投降。收复北疆后，左宗棠下令继续南进，收复南疆。1878年初，除伊犁地区外，新疆全境重新回到祖国的怀抱。

左宗棠收复新疆以后，立即着手恢复和发展当地的经济，注意兴修水利，为民造福。他为收复和建设新疆所做的贡献，永远值得人民怀念。

甲午风云

近代日本被列强打开国门以后，不甘心像中国那样任人宰割，实行了"明治维新"，通过办实业，修铁路，发展资本主义，国力迅速增长。强大起来的土本，把侵略的目标首先对准了邻邦朝鲜和中国。

1894 年，朝鲜爆发了农民起义。日本急于对外扩张，开辟海外市场掠夺殖民地，就乘机出兵占领了朝鲜首都汉城。接着，又对我国发动了侵略战争。因为这一年是中国的旧历年甲午年，所以历史上把这次战争称为"中日甲午战争"。

战火首先从朝鲜燃起。清政府答应朝鲜国王的请求出兵镇压农民起义，日本趁机也调了一万二千多人的队伍侵入朝鲜。清政府根本没有进行和日本作战的准备，而日本则蓄谋已久。1894 年 7 月 23 日，日本突然包围了朝鲜王宫，俘虏了朝鲜国王，另立了一个傀儡政权，并让这个傀儡政权下令，让日军把驻守在朝鲜的清军赶出去。于是，甲午中日战争首先在朝鲜爆发了。

战争开始后，清军一直处于被动挨打的地位。9 月，日军兵分四路向平壤进攻。这时在平壤的清军统帅叶志超不作迎战的准备，想放弃平壤逃到中国。日军对平壤发动总攻，用大炮猛轰玄武门。清军爱国将领左宝贵亲自登上北城玄武门城头，指挥清军奋勇杀敌。他激励部下说："这正是建功立业的时候！"广大爱国官兵奋不顾身，坚持战斗。炮手阵亡了，左宝贵就代替炮手，亲自开炮，虽然身上几处负伤，但他仍然拒绝部下要他离开炮台的请求，顽强战斗，直到中炮牺牲。叶志超慌忙带着队伍逃跑，一路狂奔五百多里，退到中国境内，从而把朝鲜拱手送给了日本，把战火引到中国。

在平壤战役最紧张的时候，迫于全国舆论的压力，清政府派海军提督丁汝昌带领北洋舰队护送陆军去支援平壤。完成任务后，在返航的途中，忽然发现远处海面上有一队悬挂美国国旗的舰队。等双方靠近后，这些舰队突然全部换上了日本国旗，并向中国舰队发起攻击。丁汝昌马上命令各舰队开始战斗。

一场恶战在中国的黄海海域上开始了。丁汝昌所在的"定远"号军舰，挂着"帅"字旗，受到敌人炮火的猛烈攻击。丁汝昌身负重伤，船身严重倾斜，全舰官兵仍然坚持战斗。管带（舰长）邓世昌看到日本主力舰"吉野"号十分猖狂，便下令开足马力向它冲去，不幸在中途被敌人的水雷击中，邓世昌与全舰官兵壮烈牺牲。"经远"号在和敌人战斗时，中弹起火，但管带林永升和全体官兵坚持战斗，直到和军舰一起沉没。双方海战进行了五六个小时，直到黄昏，双方分别撤退，日军舰队受到沉重的打击。

黄海大战以后，李鸿章为了保存实力，故意夸大损失，下令全体舰队躲到威海卫军港，不许出战。

1894 年 10 月，日军兵分两路向中国发动进攻：一路由朝鲜渡过鸭绿江，打破了清军的拦阻，占领了中国的大片领土；一路在辽东半岛登陆，先后侵占了大连、旅顺，并在旅顺进行了惨无人道的大屠杀。辽东半岛的占领，使日军完成了对威海卫北洋舰队的背面包抄。

1895 年 1 月，日军开始从海上和陆上夹攻北洋舰队。北洋舰队腹背受敌，多数军舰被击沉，形势非常危急。一些贪生怕死的将领，勾结几个外国顾问，逼迫海军提督丁汝昌投降。丁汝昌严词拒绝，下令突围，奋战不成，只好自杀殉国。剩下的北洋舰队全部投降了日本。接着，日军又在海关外发起进攻，清军连连败退。

中日战争最终以中国的惨败宣告结束，李鸿章代表清政府和日本签订了《马关条约》，使中国半殖民地半封建程度进一步加深。

张謇经营纺织业

甲午战争失败之后，西方帝国主义列强利用清廷的腐败无能，加紧了对中国的掠夺和剥削。中国的经济越来越衰落，人民的生活越来越贫穷。这时，有个叫张謇的读书人决心放弃读书做官的道路，加入到兴办实业的行列中，使中国强盛起来。

张謇出生在江苏通州（今江苏南通）一个富农兼小商人家庭中。他五岁起在乡里的私塾读书，十六岁那年考中秀才，三十二岁中了举人。但这以后，他四次参加进士考试都落了榜。张謇心灰意冷，干脆把自己好多年来用的一套考具也扔掉了。

不过，这期间，张謇也做了一点事。1887 年，当时州知府的孙云锦前往开封府上任，张謇跟他一同前去。他协助孙云锦一起治理黄河，救济灾荒。回到家乡后，他积极地主张改良农业，采用机器和集资兴办公司。通过这些活动，他和通州地区的商人、中小地主和富农建立了密切的联系。他们后来成了张謇创办大生纱厂的主要支持力量。

公元 1894 年（光绪二十年），张謇遵照父亲的意思，再次来到北京参加进士考试，这一回他的运气不错，一下子中了状元，被任命为翰林院的修撰。

没过多久，中日甲午战争爆发，张謇向朝廷上奏章，严厉抨击李鸿章的卖国行为，体现出强烈的爱国精神。但就在这时，他的父亲去世，他只好回老家奔丧。

很快，北洋舰队全军覆没，清政府签订丧权辱国的《马关条约》。消息传来，张謇感到非常痛心。西方列强趁机加紧对中国的经济掠夺，更让他觉得忧虑，于是，他产生了"实业救国"的思想。

张謇认为，办好工业是富民强国的根本，应该采用民间办实业、官府支持的方针发展近代民族工业。第二年，在两江总督张之洞的支持下，张謇在通州设立了商务局，办起了大生纱厂。由于他是状元，历史上就称为"状元办厂"。

创办纱厂，兴办实业，并不是一件容易的事。他频繁地来往于上海、南京、通州、武汉之间，筹措资金，但几乎处处碰壁。那些富豪阔商，对投资新式工业没有信心，不敢把大量的白银交给一个书生。他在上海筹钱时，旅费用完了，只好放下架子，靠着"状元"的牌子，卖字度日。但张謇不退缩，不灰心。

经过一番艰苦的努力。大生纱厂于1898年在通州城西唐家闸破土动工，第二年建成投产。但投产没有多久，张謇就遇到麻烦，由于纱厂的生产需要大量的棉花，资金周转碰到了困难。张謇去向官府救助，结果碰了一鼻子灰；他再派人去请富商帮忙，也没有得到响应。张謇无可奈何，只好将纺出的纱马上卖掉，用换回的现金再去收购棉花，有一阵，大生纱厂差点倒闭。

幸亏，那时用机器纺出的棉纱销路很好，棉纱的价格不断上涨，加上大生纱厂使用的是当地便宜的原料和劳动力。成本较低，生产出来的棉纱在当地销售，节省了大量的长途运费，因此在市场竞争中渐渐站住了脚，利润不断增加。到了1904年，张謇又开出了大生二厂。

大生纱厂经历的风风雨雨，让张謇意识到，为了纱厂的生存，必须建立稳定的棉花原基地。于是，他花了十年时间，克服重重困难，办起了专门种植棉花的通海垦牧公司。

从1901年到1907年，张謇先后创办了十九个企业。这些企业和通海垦牧公司一样，主要也是为大生纱厂服务的。就这样，经过张謇的苦苦经营，一个粗具规模的大生资本集团，在辛亥革命爆发的前夜基本形成了。

张謇从自己经营纺织业的经历中体会到，发展民族工业需要科学技术。这又促使张謇花了不少心血去办兴办学堂，他首先想到的是办师范教育。

张謇说："要想对国民普及教育而没有老师，就无法把知识传授给国民。所以办学校必须从小学办起，尤其是从办师范学校开始。"

于是，张謇在 1902 年创办了清朝末年的第一所师范学校——通州师范学校；同时还办起了通州女子师范学校。

随着张謇经营纺织业、兴办教育的成功，张謇在东南沿海地区和全国的声望越来越高。他自己也从一个封建士大夫，逐步地转变成了具有资产阶级改良思想的实业家。

但是，在帝国主义和封建势力的双重欺压下，民族工业的步子越走越艰难。经过一段时间的发展，张謇创办的企业也陷入了低谷，背上了沉重的债务负担，他的"实业救国"之梦最终破灭。可是，张謇坚忍不拔、艰苦创业、自强不息的精神仍然受到后人的尊敬。

《马关条约》丧权辱国

黄海大战以后，日军分海陆两路，进攻中国大陆。清廷却一味退让，还在公元1895年初就派张荫桓、邵友濂到日本去求和。这时日军正在威海卫围歼北洋舰队，认为谈判的时机没有成熟，就以他俩资格不够为借口，不予理睬。到了北洋舰队全军覆没之时，清廷不敢再战，为了求得停战，不惜任何代价，同意改派李鸿章为全权大臣，前往日本求和。

光绪皇帝把李鸿章召到北京，商讨对日谈判的事。李鸿章对光绪帝说："割地的事，臣不敢承担，就是索取大量赔款，恐怕户部也拿不出这笔钱。"

光绪帝的老师翁同和接口道："只要不割地，多赔一些银子问题不大，我们一定设法筹办。"

无论是割地还是赔款，光绪帝都感到心痛，所以一时也拿不定主意。他要李鸿章去见慈禧太后，想让她决定。慈禧太后听说以后，赶忙派太监出来传话说："太后说了，朝廷的事，一切听皇上作主。"

光绪帝无可奈何，最后只好给了李鸿章割地之权。

3月19日，李鸿章带着他的儿子李经方等一帮人到达日本马关。第二天，就开始同日本内阁总理大臣伊藤博文进行谈判。

谈判分为两步，先谈停战条件，后谈议和条件。伊藤博文首先把一纸停战条款扔给了李鸿章。李鸿章一看，只见白纸黑字写的是："日本军队应占据大沽、天津和山海关"，不禁大吃一惊，责问道："现在你们日本军队还没有打到这些地方，为什么竟要提出占据？"

伊藤博文摆出战胜者的架子，蛮横地说："凡是讲停战，应当对两国都有好处。停战本身就对中国军队有好处，所以我军也必须以占据这三个地方为抵押。"

由于日本提出的停战条件实在太苛刻了，李鸿章不敢答应，所以双方谈判了两次，也没有结果。不料，一起突发事件迫使日本不得不同意马上停战。

3月24日下午，李鸿章离开谈判地点春帆楼，坐轿子回自己的旅馆途中遇刺，子弹击中了他的左颧（quán）骨，血流如注。当场昏倒。原来这一枪是日本人小山丰太郎打的。消息传出，世界各国舆论大哗，纷纷指责日本。伊藤博文感到压力很大，不得不亲自跑到李鸿章的床前，主动提出无条件停战二十一天，直接谈判和约问题。

但是，伊藤博文拟订的和约条款底稿，仍然非常苛刻。他们既要中国赔偿二亿两白银，又要割让辽东半岛、台湾全岛和澎湖列岛，同时还要开放沿海和内地的口岸通商，让日本人到中国自由办厂。

李鸿章不敢贸然答应这些条款，连忙电告朝廷，问哪些同意，哪些该驳回，但没有得到具体的批示。随后他就依照自己的想法同伊藤博文讨价还价。

伊藤博文不耐烦了，于是在4月10日的谈判中威胁李鸿章说："如果这次谈判破裂，那么我一声令下，将有六七十艘轮船运送大军开赴战地。到那时，你们北京的安危就很成问题了。再说了，如果谈判破裂，那么你一离开此地，能否再安然出入北京城门，我们也很难保证。"

只是由于怕引起别国干涉，伊藤博文才答应减去赔款三分之一，在其他一些条款上稍许做了一点让步。

三天以后，伊藤博文把经过修改的和约条款交给李鸿章，并且声明："这是最后条款，不许再改，中国对此，只有'允'和

'不允'两点上表态，限四天之内进行答复。"

李鸿章心里明白，这实际上是最后通牒。他再次打电报给朝廷，问到底该怎么办。得到的回答是：如果没有商改可能的话，请权宜签字。

最后在谈到台湾问题时，伊藤博文要求在互换条约批准书后一个月办完交割手续。李鸿章觉得一个月过于仓促，要求再延长一个月，并说："台湾已是贵国口中之物，何必着急？"

伊藤博文瞪着眼回答说："还没有咽下去，饿得厉害！"一句话，暴露了日本贪婪的强盗本性。

4月17日上午，《马关条约》正式签字。

《马关条约》是一个严重的不平等条约，特别是允许日本人在中国开办工厂，为列强对中国实现资本输出开了先例。从此，列强在中国相互角逐，掀起了划分势力范围和瓜分中国的狂潮。中华民族的危机一天比一天加重了。

严复翻译《天演论》

十九世纪的最后几年，中国进入了多事之秋，人们感到前途渺茫。每个爱国的中国人，心里都在问：中国到底怎么办？有识之士纷纷奔走呼号，有的人希望通过政治改良，富强国家，强大种族，挽救中国。有一位大名鼎鼎的启蒙思想家严复，用他那特有的武器——译笔，通过翻译西方作品，来宣传为法维新思想。

公元 1877 年，严复以考试第一名的成绩，被清廷保送到英国去留学。他在英国学的是兵舰驾驶，清廷指望他成为日后海军的主将。可是，这个海军大学生，却受到民族危机的刺激，开始醉心西方社会政治学说，阅读了孟德斯鸠、达尔文、斯宾塞等大思想家的著作。严复回国以后，中国先后发生了中法战争、甲午战争，接着又发生了西方列强瓜分中国的狂潮，亡国的危机迫在眉睫。严复感到，要救国只有维新，要维新只有效法西方国家。于是，他开始鼓吹变法维新，撰写了不少政论文，还翻译过大量的西方近代理论著作。其中，他在戊戌变法前翻译出版的《天演论》一书，影响最大，使他成了当时举国注目的人物。

《天演论》原名叫《进化学与伦理学》，这是一本英国生物学家、达尔文学说的捍卫者赫胥黎的论文集。严复选择了其中的前两篇翻译，简称为《天演论》，意思就是进化论。从此，进化论引进了中国，震动了古老的神州大地。

严复是在甲午战争中国战败的强烈刺激下翻译这本书的。他翻译的唯一目的，就是想运用进化论"物竞天择，适者生存"的基本原理，向全中国敲响祖国危亡的警钟。

严复的《天演论》并不是简单的翻译原文，而是有选择、有取舍、有评论、有改造的。他通过序言和大量的按语来阐发自己的见解，并结合中国当时的实际情况，把原书的理论改造成中国人可以用来反封建、反侵略的进步学说。

赫胥黎在书中说："生物自古以来是不变的，生物发展的基本现象是不断进化的，进化的原因是物竞和天择"。用现在的话来讲，就是生存竞争与自然选择。赫胥黎的进化论观点，严复是完全赞同的。但赫胥黎同时又说："自然界没有什么道德标准，而是弱肉强食，适者生存；而人类是高于动物的，人性本善，能相亲相爱，不同于自然竞争，所以社会化理学不同于自然进化论。"严复对此是不同意的，为此书名也只用了原书名的一半。因为在严复看来，种族与种族之间，国家与国家之间，也是一个竞争的局面，在竞争当中，谁的实力最强，谁就是优胜者，谁就能生存，否则就是灭亡。严复解释说："欧洲国家之所以胆敢侵略中国，就是因为他们能不断自强。美洲、澳洲土著居民之所以一天天衰落，就是因为他们糊里糊涂，浑浑噩噩。"因此，他奉劝国人别再以"天朝大国"自居了，而应当老老实实地承认，侵略中国的，正是"优者"；被侵略的中国，正是"劣者"。在国际生存竞争中，中国正处于亡国灭种的危险关头！

严复的这种说法，事实上是一种以强灭弱、以大欺小的社会达尔文主义。可是，对于当时沉睡着的中国，这却敲响了民族危亡的警钟，也给一些麻木了的中国人送了一帖清醒剂。事实上，当时的中国眼看就要被俄国、德国、英国、法国和日本瓜分干净了，但清王朝的封建顽固分子却抱残守缺，不肯改革。严复之所以要宣传社会达尔文主义，就是要强调进化是一种自然规律，人与自然，中国与外国，都不例外。因此，中国人再也不能麻木不仁了，否则就要被淘汰。严复告诉人们，在认识这个规律后，不再甘做劣等民族，坐以待毙，而应该赶快革新社会政治，做到自立、自主和自强。

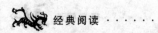

戊戌变法

shonghuoshangxiawuqiannian

1898 年 9 月 28 日，北京的菜市口行刑地，风沙弥漫，天昏地暗。下午四时，一群满脸杀气的刽子手，押着六名"犯人"来到行刑的地方。当大刀举起时，为首的一个"犯人"仰天高呼："有心杀贼，无力回天。死得其所，快哉！快哉！"这个人就是历史上著名的变法图强而流血牺牲的谭嗣同。这六个人就是著名的"戊戌六君子"。

在中日战争中，中国战败。当签订《马关条约》的消息传出后，举国上下悲愤不已。当时正在京城应试的一千多名举人以康有为为首，起草了反对议和的万言书，提出"拒和、迁都、练兵、变法"的口号，这就是著名的"公车上书"（我国汉朝时候，用公家车马接送被征举的士人，后来人们就用"公车"作为举人进京应考的代称）。这次"公车上书"虽然没有什么结果，却揭开了中国变法图强的序幕。事后，康有为继续宣传变法维新的主张。

1895 年 8 月，康有为在北京发起成立了一个组织，名字叫"强学会"，他们每天集会一次，由会员发表演说，宣传变法，讲求中国的自强之道。另外，他们还积极创办各种报刊，宣传变法，在群众中引起了很大的反响。同时他们的活动也引起了顽固派的警觉，遭到一些限制。

顽固派虽然百般阻挠他们的宣传活动，但维新运动仍然蓬勃发展。康有为继续给光绪皇帝上书，这些上书虽然没能送到光绪皇帝手中，却迫使总理衙门接见了康有为，让他当面申述关于变法的意见。

顽固派荣禄首先发难，他说："祖宗之法不可变。"康有为反驳道："祖宗之法是用来治理祖宗的土地的，现在祖宗留下来的土地都守不住了，还说什么祖宗之法呢？再说祖宗之法并不是一成不变的，法制要随着时代的变化而改变，比如这个总理衙门就不是祖宗之法规定的！"荣禄被驳得答不上话来。

另一个守旧派官员问道："那么你说，变法应先从哪里开始呢？"

康有为从容说道："应从改变法律、制度开始。"

李鸿章马上质问康有为："难道六部都可以撤除，一切法制都可以不要吗？"康有为说道："今天是列强并立的时代，不再是以前关起门来做皇帝的时候了。中国现在的法律和官制，都是过去的旧法。中国之所以贫穷衰弱，就是这套东西造成的，因此应该尽快废除，即使不能完全废除，也应着手进行改革。"

双方的辩论出现一种紧张的气氛，光绪帝的老师翁同和为了不使大家太难堪，就岔开话题，向康有为询问如何筹款的问题。康有为在回答问题之后，又详细地谈了自己关于变法的意见，这场辩论直到天黑才结束。

第二天，翁同和向光绪皇帝大力推荐康有为。光绪皇帝听了这次辩论的情况，大受鼓舞，下令让康有为把他的变法建议写出来，并宣布以后凡是有康有为的上书，要随到随送，不得扣压。康有为随即写了一个"统筹全局"的奏折，系统地提出了变法的纲领，要光绪皇帝推行新政，走日本明治维新的道路。光绪皇帝很受激励，不甘心做亡国的君主，下决心变法图强。

1898 年 6 月 11 日，光绪帝下了一道"明定国是"的诏书，正式宣布变法。变法的内容涉及政治、经济和文化教育等方面。但变法的这些改革措施还没来得及实行，就遭到了顽固派的反对和抵制。以慈禧太后为首的顽固派决心扑灭这场变法运动。慈禧下令撤除翁同和的一切职务，遣送回老家，以此孤立光绪帝；规定新任命的二品以上的文武官员要到慈禧那里"谢恩"，把用人大权牢牢地抓在手里，使光绪皇帝不能破格任用维新派人士；又派荣禄去天津担任直隶总督，掌握军事力量。

做好了一切准备后，1898 年 9 月 21 日，慈禧太后发动政变，把光绪皇帝囚禁到中南海的瀛台，下令逮捕支持变法的维新派人士，"戊戌变法"，把这场政变叫做"戊戌政变"。因为这次变法仅仅持续了一百零三天，因此又称为"百日维新"。

义和团"扶清灭洋"

zhonghuashangxiawuqiannian

"神助拳，义和团，只因鬼子闹中原；劝奉教，乃霸天，不敬神佛忘祖先。"这是义和团散发的传单中的一句话，它反映出义和团是一场农民自发的反帝爱国运动。

义和团原名"义和拳"，是山东、河南一带农民长期进行反清斗争的一个秘密组织。这个组织利用学习拳术进行宣传活动，有着严格的纪律，规定"不贪财，不好色，不吃荤"，还宣传练了"神拳"之后，可以刀枪不入，所向无敌。义和团最基层的单位是"坛"，"坛"上面有"坛口"，"坛口"之上有"总坛"。各方首领一般称老师，下面有大师兄、二师兄等头领。

义和团初期的战斗口号是"反清复明"，后来随着帝国主义对中国的侵略，人民大众所受的剥削和压迫日益加重，他们逐步认识到外国侵略者是中国人民的共同敌人，转而提出"扶清灭洋"的口号。义和团首先从山东发起，正如一首歌谣所唱："义和团，起山东，不到三月遍地红。"这是因为山东人民受帝国主义的压迫，特别是受教会的压迫最重。山东当时有教堂一千三百多处，遍布全省七十二个州县。那些外国传教士对当地人民任意压迫和掠夺，清政府总是袒护洋人，压制百姓。

义和团的声势越来越大，引起了洋人的不满，他们严令清政府进行镇压。在山东，义和团遭到巡抚袁世凯的残酷剿杀，被迫向天津、北京一带发展。1900 年 4 月，义和团进入天津，取得了合法地位，首领张德成进城门时，还受到清朝官员的隆重欢迎。6月中旬，义和团进入北京，在各城六和路门口设坛八百多所。

经典阅读 ······

慈禧太后迫于义和团的浩大声势，不得不暂停"剿杀"。她召开了御前会议，经过商讨，决定利用义和团来防止外国人支持光绪皇帝，同时借机让义和团去和外国人打仗。如果义和团赢了，她就可以乘机摆脱外国的控制；如果义和团输了，就乘机加以剿灭。接着，慈禧太后宣布和外国开战，叫义和团攻打各国使馆。

义和团民众在北京攻打使馆、教堂，吓得外国侵略者魂不附体。他们一面策划直接出兵干涉。1900 年 6 月 10 日，英、美、法、日、德、俄、意、奥等八国组成联军，共两千多人，在英国中将西摩尔的率领下，以镇压义和团为名，乘火车由天津进犯北京，发动了侵华战争。义和团和部分爱国将士奋起抵抗，沿途拆毁铁路。侵略者被迫一边修路一边前进。双方在落垡（今河北廊坊市落垡镇）遭遇，侵略者遭到义和团的围攻，除了部分留守落垡外，大部分撤往廊坊（今河北廊坊）。战斗进行了两个多小时，打得十分激烈。敌人躲在火车上用机枪扫射，前面的义和团民众被击中，后面的团民又跟着冲上来。敌人死伤五十多人，慌忙向杨村撤退，结果又遭到义和团的袭击，死伤三十多人，被迫退回天津。

在天津，义和团首领曹福田率领民众攻打外国租界。这时的清政府在宣战后没几天，立场就开始动摇，急于和侵略者议和。慈禧给驻外国的使臣发出电令，要他们向各国解释她的"苦衷"。这时的清军不但不抗击八国联军，反而攻打义和团。义和团武器落后，又没有统一的指挥和明确的战斗部署，陷入极其不利的境地。7 月 14 日，联军攻陷了天津。接着，联军两万多人，兵分两路，进犯北京。慈禧太后一面令人赶紧议和，一面仓皇出逃。

8 月 14 日，联军进入北京，下令公开抢劫三天。中国无数的珍宝古玩，价值连城的典章文物、珍本字画又一次遭到了浩劫。凶残的联军见人就杀，无数老百姓死于非命。

在慈禧授意下，李鸿章代表清政府和外国侵略者签订了《辛丑条约》，清政府完全变成了洋人的朝廷，中国完全陷入了半殖民地半封建社会。

孙中山建立同盟会

中国人民遭受压迫和剥削的同时，有识之士纷纷提出救国之策：有的希望改革清政府，推行立宪运动；有的则主张推翻清王朝，另建一人属于人民大众的新政权。这时涌现出一个伟大的革命先行者孙中山。

孙中山（1866~1952），原名孙文，号逸仙，出生在广东香山县（今中山市）翠亨村的一个农民家庭。他的父亲在家务农，家境比较困难。孙中山七岁的时候，开始在私塾念书。他经常听大人们讲述太平天国的故事，很崇拜洪秀全，暗暗下决心要做"洪秀全第二"。

孙中山的哥哥孙眉因为家里穷，就到夏威夷群岛去开荒种地，后来发了财，成一个农场主，住在檀香山。孙中山十二岁的时候，在家乡呆不住了，就送他到哥哥那里读书。孙中山先后进过英国人和美国人办的教会学校，在那里，他增长了见识，逐渐产生了向西方寻找真理、改造中国的理想。后来，他到广州医科学校学医，结识了一些爱国志士，经常和他们一起秘密谈论救国主张。

孙中山二十九岁那年，写了一份《上李鸿章书》，专门从广州跑到天津，要求见李鸿章，向他陈述自己关于改良政治、富国强兵的见解，请求李鸿章实行自上而下的改革。李鸿章根本不予理睬。

甲午战争后，孙中山进一步看清了清政府的腐败无能，认识到寄希望于清政府是不现实的，在中国走改革改良的道路是行不通的。从此，他放弃了医生的职业，专心从事革命事业，致力于推翻清王朝。

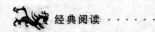

　　1849 年 10 月，孙中山再次回到檀香山，在那里，他组织了中国每一个资产阶级革命团体"兴中会"，当时有二十多个华侨工商界人士参加了这个组织。第二年，孙中山又在香港成立了兴中会总部，提出了"驱除鞑虏，恢复中华，创立合众政府"的主张，目的是要推翻清朝的统治，建立一个像美国那样的资产阶级共和国。

　　兴中会成立后，孙中山以行医为名，在香港、广州建立秘密机构，联络会党，购买了六百支新式手枪，准备在广州发动武装起义。后来起义计划不幸泄露，秘密运送的枪支被海关查出扣押，很多革命者被捕牺牲，起义还没发动就失败了。

　　起义失败后，孙中山辗转逃到日本，后来又到了欧洲各国，在留学生和华侨中开展宣传和组织工作。1900 年，义和团运动爆发。孙中山认为这是进行武装起义的好机会，便派人联合会党，在广东惠州举办起义。同时又派人到广州准备响应，他自己则到台湾负责接济枪械弹药。这次起义曾一度取得胜利，队伍发展到两万多人。后来因为占领台湾的日本禁止向革命军供应武器，不准革命党在台湾活动，起义军没有了接济，处境困难，被迫解散。

　　孙中山并没有因为暂时的失败而灰心，他更积极地在欧美、日本等 地的华侨和留学生中奔走，宣传革命主张，发动爱国侨胞为革命募捐。拥护革命的人越来越多。

　　这时在国内陆续出现了一些革命团体。1903 年，蔡元培、章炳麟等人在上海成立了光复会；1904 年春，留日学生黄兴、陈天华等在湖南成立了华兴会；同年夏天，湖北革命党人成立了科学补习班，以补习科学为名，从事革命活动。这些小团体具有革命思想，以推翻清朝的统治为目标，但都各自分散活动，彼此间互不联系。

　　1905 年 7 月，孙中山从欧洲到了日本，受到当地各个革命团体、华侨和留学生的热烈欢迎。他们在一起商量革命对策，相互交换意见，孙中山和黄兴提出了将各个革命团体联合起来的建议，得到大家的赞成。8 月 20 日，孙中山和各革命团体的代表共三百多人，在东京一个日本贵族的家里召开大会，正式成立了中国革命同盟会，简称同盟会。大家推举孙中山为总理，由黄兴主持同盟会总部的日常工作。

同盟会以孙中山提出的"驱除鞑虏，恢复中华，建立民国，平均地权"为纲领，这也是同盟会员共同奋斗的目标。在会上，革命者高呼"自由、平等、博爱"、"中国革命同盟会万岁"等口号，气氛非常热烈。会后，创办了同盟会的机关刊物《民报》，宣传革命的主张。

同盟会的成立，表明中国的资产阶级开始有了自己的革命政党。从此以后，革命的思想逐渐深入人心。

革命宣传三大家

在革命先行者孙中山的鼓舞带动下，二十世纪初，我国出现了一批资产阶级民主革命的宣传家。他们创办报刊，出版宣传革命的小册子，积极宣传革命思想。其中，最著名的三大革命宣传家是章炳麟、陈天华和邹容。

章炳麟（1869~1936）号太炎，浙江余杭人。甲午战争后，他受康有为、梁启超维新思想的影响，参加了强学会，积极宣传改良思想，戊戌变法失败以后，他受到通辑，逃到了日本。在日本，他逐渐放弃了改良思想。认识孙中山以后，他接受了资产阶级民主革命的思想，开始和康、梁分道扬镳。

1903年，他在《苏报》上发表了《驳康有为论革命书》，指出决不能依靠和相信那个连自己的性命都难保的皇帝，君主立宪在中国是根本行不通的。而革命才是"启迪民智，除旧布新"的良药，只有先夺取了革命的胜利，然后才能谈得上其他的问题。章炳麟的文章说理透彻，在知识分子中有很大的影响，使许多知识分子丢掉了改良主义的幻想，站到革命的一边来。

陈天华（1875~1905），字星台，湖南新化人，出生于一个农民的家庭。他从小就爱学习，戊戌变法期间，考入新式的新化求实学堂，1903年留学日本。后来因为抗议日本政府颁布的取缔中国留学生的规则，愤然投海自杀，当时他只有三十一岁。

在日本留学期间，他撰写了《猛回头》和《警世钟》两本小册子，主要宣传反帝爱国思想。他用浅显通俗的语言指出，由于帝国主义对中国进行政治、经济和文化等方面的侵略，中国人民已经完全丧失了自由，"中国的官府好像是他的奴隶一般，中国的百姓好像是他的牛马一样"，这时的清政府已经成为"洋人的朝廷"。他认为，要想反抗帝国主义的压迫，必须先推翻清政府的统治。这两本书流传到全国各地，深受读者欢迎，先后印刷了十几次，广泛地宣传了革命的思想。

邹容（1885~1905），四川巴县人，出生于一个商人家庭。他父亲希望儿子能在科举道路上考取功名，光宗耀祖。但邹容从小就关心时政，仰慕谭嗣同，对科举根本不感兴趣。十六岁那年，他冲破家庭的阻拦，到日本留学。在日本，他积极参加进步留学生的革命活动，阅读了大量西方的政治学、社会科学著作，视野进一步开阔，逐渐产生了反清的思想。

后来因反对一个驻日的清朝官员，他被赶出日本。那个官员是清政府的忠实奴仆，负责监督留学生，专门破坏学生运动，邹容决定杀他的威风。一天晚上，邹容和几个同学乘他不防备，将他痛打一顿，并且剪掉他的辫子。第二天，他们将这条辫子悬挂在留学生会馆的正梁上，向清政府"示威"。

邹容回到上海后，决心写一本通俗易懂的书，让更多的人懂得革命的道理。1903 年 5 月，他写成了一本叫《革命军》的小册子，自称是"革命军中马前卒"。在书中，他高唱革命的赞歌，主张用革命的手段来推翻清政府，指出中国人民要想摆脱清朝封建统治的压迫，必须起来革命。此外，他还宣传西方资产阶级革命的成就，提出了建立资产阶级共和国的主张。在文章的最后，他高呼"中华共和国万岁"。这本书出版以后，风行全国，在短短的几年内就再版了二十多次，总发行量超过一百万册，在当时的革命书籍中占第一位。这本书的巨大影响引起了清王朝的恐惧，清政府勾结帝国主义在上海的租界把邹容逮捕入狱，在狱中，他经常受到狱卒的虐待和欺侮，每顿饭只能喝一点粥，吃三粒豆。他还经常被罚做苦工，遭受毒打。在两年刑期期满前夕，邹容经受不了折磨，死在了狱中，当时他只有二十一岁。

黄花岗起义

　　1911 年春天，在广州城里，经常可以看到一些人抬着花花绿绿的轿子。吹打着乐器，来来往往很是热闹。人们都以为是谁家又在举办婚礼了，毫不在意，只有几个好奇的小孩子跟在后面看热闹。其实，这是革命党人煞费心机，以这种形式做掩护，为即将发动的反清武装起义偷运武器。这是黄花岗起义准备工作的一部分。

　　同盟会成立后，发动过多次起义武装起义，都失败了。为了鼓舞士气，总结经验教训，1910 年春，孙中山在马来西亚召集同盟会的重要骨干，举行会议。会上决定，集中各省革命的精华，再次在广州发动起义。他们挑选五百名优秀的革命党人，组成"先锋队"（即"敢死队"，后增到八百人）作为骨干，发动广州清军中倾向革命的新军，作为起义的主力。起义开始后，起义军先占领广州，然后汇聚长江流域各省的革命力量，进行北伐，推翻清政府。

　　会后，孙中山，黄兴等到南洋和欧美各地，向华侨募集经费，各地爱国华侨，热切盼望祖国能够独立富强，纷纷踊跃捐款，有的甚至变卖自己的家产来支援革命，总共捐款十九万元。

　　起义原定在 4 月 13 日举行，后来由于一位革命党人刺杀清政府广州将军，引起清政府的注意，在广州实行戒严，到处搜捕革命党人；而这时同盟会从国外购买的武器，也还没有到齐。在这种情况下，按原计划起义已非常困难，因此，起义军推迟到了 4 月 27 日。

　　4 月 27 日下午敢死队把起义指挥所布置得喜气洋洋，有如办

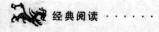

喜事的新房。黄兴在这里召集了起义队伍，他慷慨陈词，做了战前动员，发给每人一块白毛巾，缠在左臂作为标志。五点三十分，起义时间已到，敢死队员脚上穿着黑鞋子，扮作仆从的样子，抬着一顶轿子，里面坐着黄兴，直奔总督府。总督府衙门的卫兵加以阻拦，黄兴立即吹响号角。队员们听到号令，马上开枪射击，冲进总督衙门，直接奔向正厅。

黄兴等冲进去，见客厅中还挂着几件长衫，茶几上的茶水还在冒着热气，知道总督张鸣岐刚刚逃走，便立即分头搜寻，但是张鸣岐抢先一步从后院逃走了。

敢死队退出总督衙门的时候，迎面碰上了清军的大队人马，双方展开了激战。革命党人虽然人数少，但个个奋勇当先，视死如归，打死很多敌人，最后由于革命党人的增援部队没有按时到达，寡不敌众，不得不撤退。在战斗中，黄兴受了伤，左手的四个手指被打断了。他且战且走，躲入一家洋货店内，等晚上战斗停止后，才在店内伙食的帮助下，化装乘船渡过珠江，奔向珠江南岸的秘密机关。起义以失败告终。

起义失败后，清政府大肆搜集革命党人。清军对死难烈士非常仇恨，让他们的尸体在街上曝晒了四天。当地群众冒着生命危险，在黄花岗安葬了七十二位烈士的遗体。

辛亥革命胜利后，孙中山在烈士陵园的牌楼上，亲自题写了"浩气长存"四个大字，并写了《黄花岗七十二烈士序》一文，高度赞扬了这次广州起义中革命党人的英雄事迹。

巾帼英雄

秋瑾（1879~1907），又名"竞雄"，意思是要与男子竞做英雄。因为她的老家在浙江绍兴的鉴湖旁边，所以她的别号叫"鉴湖女侠"。她出生在一个官僚地主的家庭，小时候有机会读书，十分聪明好学。她非常崇敬花木兰等古代的女英雄，常以她们为榜样激励自己。

在开明父母的鼓励下，秋瑾不但努力学习文化，十来岁就学会了填词写诗，而且还拜师学武，苦练武艺，对舞剑、拳术、骑马等样样精通，养成了一种豪迈奔放的性格。她曾在一首《满江红》词中写道："身不得，男儿列；人却比，男儿烈。"

秋瑾十六岁的时候，随做官的父亲来到了湖南。随后依父母之命，与当地一个富绅的儿子王廷钧结婚。王廷钧是个浪荡公子，他的爱好与秋瑾完全不同。秋瑾与这样的人生活在一起，非常痛苦，为此曾写过"不遇知音赏"的诗句，表达自己对这桩包办婚姻的不满。

1903 年，王廷钧花钱买了一个小京官的职务，秋瑾随他到了北京。在京城，秋瑾看了帝国主义的横行霸道和清政府的腐败无能。她无法安于丈夫控制下的封建家庭，决心到日本留学，寻求救国救民的真理。王廷钧极为反对，认为女子不该求学。秋瑾毅然同王廷钧分离，将儿女托付给祖母和外祖母照看，自己变卖首饰作路费，于1904 年夏天，东渡日本留学。

到日本后，秋瑾一面进入留学生办的日语讲习所学习，一面积极进行革命活动。她经常西装革履，头戴蓝色鸭舌帽，全副男

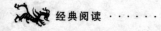

装，出席各种集会，成为留学生中的活跃分子。

1906年，秋瑾从日本回到上海，由徐锡麟介绍加入了光复会。在上海，她与其他革命同志一起奋斗，设立革命机关，创办《中国女报》杂志，并亲自撰写发刊词。积极宣传妇女的解放，揭露社会的黑暗，陈述妇女的痛苦，进而号召妇女投身革命事业，在社会的解放中获得自身的解放。

秋瑾在积极宣传革命的同时，还和其他同盟会员一起研制炸药，为武装起义做准备。后来因为不慎引起爆炸，惊动了清政府。秋瑾不能在上海活动了，就转移到故乡绍兴继续从事革命活动。

1907年初，秋瑾回到绍兴后，主持大通学堂，任学堂督办。她负责联络浙江方面的会党，积极训练起义队伍，组织了"光复军"，推动锡麟为首领，秋瑾为副首领。他们积极筹集枪支弹药，准备响应各地即将发动的武装起义。

同年5月，徐锡麟和秋瑾约定在安庆和绍兴同时起义，徐锡麟在安庆刺杀了安徽巡抚后，发动起义，由于准备不充分，很快就失败了。清政府搜出了光复会的信件，使秋瑾在浙江的起义计划完全暴露，形势十分危急。当时有人劝秋瑾暂时避一避，秋瑾坚定地表示："革命总是要流血的，中国的妇女在革命事业上还没有流过血，就从我秋瑾开始吧！"

秋瑾从容地指挥大通学堂的学生，掩藏枪支弹药，焚毁名册，迅速撤离，当天下午，清军包围了大通学堂，秋瑾沉着应战。她让一部分人在前门抗击，掩护另一部分人从后门突围。她自己冲在最前面，同清军搏斗，最后不幸被俘。

在狱中，秋瑾受尽了严刑拷打和威逼利诱。在被迫写"笔供"的时候，她挥笔写下了"秋风秋雨愁煞人"七个大字，表达了她对祖国的热爱，对民族的担忧，也表达了她毫不屈服的革命意志。7月15日凌晨，秋瑾在绍兴轩亭口英勇就义，年仅三十三岁。

后来，人们将秋瑾安葬在杭州西湖畔。辛亥革命后，孙中山特地到杭州祭奠秋瑾，亲自书写了"巾帼英雄"的匾额。

——武 昌 起 义——

zhonghuashangxiawuqiannian

　　1908 年 11 月，光绪皇帝和慈禧太后在两天之内相继死去。光绪皇帝没有儿子，就由光绪的弟弟载沣的儿子继承皇位，这就是年仅三岁的溥仪，年号宣统。

　　据说，溥仪即位时发生了这样的一件事：溥仪坐在宽大豪华的"龙床"上，看见下面一群年龄很大的王公大臣，在那里一起一落地磕头，不知是怎么回事，吓得大哭大叫。这时，跪在他旁边的载沣，连忙哄劝他说："别哭，快完了，快完了！"载沣的意思是登基典礼马上就结束了，可是王公大臣们却认为"快完了"是个咒语，是清王朝即将灭亡的不祥之兆。果然，失去人心的清王朝，第二年就终结了自己的历史。

　　1911 年，10 月 9 日，在汉口俄租界宝善里三十三号的一间房子里，革命党人孙武正在为武装起义赶制炸弹。旁边一个人在吸烟，不小心将火星掉进了炸药中，引起爆炸。顿时屋内硝烟滚滚，孙武面部受了伤。俄国领事、巡捕闻声赶来，没抓到孙武，但是搜出了起义用的旗帜、文告和革命党人名册，又将前来办事的几个人逮捕了移交给清政府。这是怎么回事呢？

　　当时湖北有两个较大的革命团体：文学社和共进会。这两个团体的主要领导人多数是同盟会会员。他们长期在湖北新军中进行思想工作，主要吸收普通士兵和军事学堂的学生入社，并制定了在各标（相当于团）、营建立代表制，各个支部单线联系的秘密规则。当时的湖北新军约有一万六千名左右，其中三分之一的士兵和下级军官加入了这两个组织，成为革命党人，这成为武昌起

义得以成功的重要条件。

武昌起义是为响应当时南方风起云涌的革命形势而准备发动的，是在四川保路运动的直接推动下爆发的。当时，清政府调出湖北新军去救援四川，导致湖北兵力空虚。革命党人想乘机发动起义，原来定在中秋节（公历10月6日）发动起义，后来因为没有准备好，推迟了起义。

10月9日火药爆炸事件发生后，清政府采取措施，严加防范。10月10日，湖北总督瑞澂下令关闭城门，全城戒严，按名册逐个逮捕革命党人。形势十分危急。

当天晚上，新军工程营第八营的一个排长值班，在巡查营房时，发现熊秉坤和金兆龙正在擦枪装弹，一副准备起义的样子，便大声喝道："你们要造反？来人，给我绑起来！"金兆龙见事情已经暴露了，就索性说："造反就造反！"

准备起义的新军一呼百应，首先把这个反动的排长打死了。接着，他们涌入军械所，打死守卫的反动军官，抢走了所有的子弹，然后选吴兆麟为总指挥，直奔楚望台，楚望台的守军也是工程营的一部分，所以很快开门迎接起义的士兵。这时，其他各营里的士兵听到起义的枪声，也纷纷响应。各路起义军会合之后，分三路杀向总督府。

总督瑞澂平日养尊处优，这时被起义的炮声吓得心惊胆战，正当他不知所措的时候，一个随从提醒说："大人，赶快逃吧！"瑞澂这才急忙叫人在后墙凿了个洞，钻了出去，逃到一艘军舰上，随后又躲到了德国的租界里。其他的官员也躲的躲，逃的逃。

天亮以前，起义军攻下了总督衙门。第二天，武昌全城被起义军占领，接着汉口、汉阳也想继被占领。

武昌起义很快就取得了胜利，从这里点起的星星之火，马上燃成了燎原之势。湖南、安徽、江苏、浙江、广西、福建、广东、陕西、山西、山东等各省纷纷响应，宣布脱离清朝而独立。至此，清王朝在中国的统治已经是土崩瓦解了。

第 十 一 章

民国风云

中华民国的成立

1912 年的元旦，古老的南京城里张灯结彩，到处洋溢着喜气洋洋的气氛。五彩缤纷的焰火和震耳的礼炮声，更增添了节日的欢乐。人们沉浸在辛亥革命的胜利之中，庆祝马上就要诞生的中华民国。

武昌起义以后，全国各省纷纷响应。到 11 月底，已有十四个省脱离了清政府的统治，宣布独立。革命形势的发展，要求革命党人建立一个统一的领导核心，成立一个新的革命政权。1911 年 11 月 9 日，湖北军政府通电起义的各省，派全权代表到武昌商议组织临时中央政府，当代表们到达武昌时，汉口、汉阳等地已经被清军攻破了，武昌也遭到敌人的炮火袭击，各省代表决定将会议转移到南京举行，并决定以南京作为临时中央政府的首都。

孙中山在国外阅读报纸时，看到了武昌起义的消息，欢欣鼓舞。12 月 25 日，孙中山回到上海。码头上欢迎的群众不计其数，掌声和欢呼声此起彼伏。其中有一个记者问孙中山："听说孙先生这次回来，带回了巨额的款项资助革命军，是真的吗？"孙中山面带微笑地说："我一个钱也没有，带回来的只有革命的精神。革命的目的不达到，武装斗争决不停止。"

此时，在南京开会的各省代表，正在为大总统职位的人选问题争论不休。他们听到孙中山回来的消息后，一致推举孙中山为大总统。因为，孙中山多年来一直坚持革命斗争，是人们心目中享有崇高威望的革命领袖。

1912 年 1 月 1 日上午，孙中山乘专车从上海到南京就职。上海

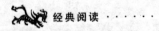

各界代表一万多人齐集火车站欢送，群众沿路高呼"共和万岁"。下午，专车到达南京下关车站时，各炮台、各军舰一律鸣炮二十一响。城内到处是熙熙攘攘的人群。孙中山穿着咖啡色的呢制服，走下火车，挥手向群众致意，两旁的群众分裂欢呼，迎接自己的革命领袖。随后，孙中山坐上特制的马车前往总统府。总统府就设在太平天国的天王府旧址。晚上10点，在大堂暖阁举行临时大总统宣誓仪式。大堂中灯火通明，左右两边各挂着一面艳丽的五色旗，正中的一条红色横幅上写着"中华民国大总统就职典礼"。孙中山步入大堂以后，出席典礼的各界代表热烈鼓掌，许多人高呼"共和万岁"。典礼正式开始，礼炮二十一响之后，孙中山举手宣誓，正式就任临时大总统。宣誓以后，由十七省代表授给孙中山大总统印，然后由临时大总统发表宣言，宣布临时中央政府成立。并颁布了《中华民国临时约法》。

至此，中华民国正式成立。1912年为民国元年。

袁世凯窃国

zhonghuashangxiawuqiannian

袁世凯（1859~1916）由于镇压义和团和出卖维新变法有功，得到慈禧太后的提拔，曾先后担任过直隶总督、军机大臣、外务部尚书等重要职务。光绪帝和慈禧太后死后，清朝摄政王载沣一方面想剥夺袁世凯的权力，一方面想为已经死去的光绪皇帝报仇，就以袁世凯患有"脚病"为名，叫他回家"养病"，免去了袁世凯所担任的职务。袁世凯回到河南老家后，装出很安闲的样子，整天饮酒、赋诗、钓鱼，还穿了蓑衣，戴了斗笠，持篙站在船尾，让人拍照，并将照片发表在《东方杂志》上表示自己不再过问政治了。实际上，他随时注意朝廷的动向，等待上台的机会。他家里设有电报机，北京的消息他很快就能知道；他还到处安插耳目，与在北京的那些爪牙保持着密切的联系。

武昌起义时，帝国主义曾想出动兵力再度扶植清政府，无奈这时的清王朝已经失去了人心。帝国主义只好另找代理人，他们看好了北洋军的头目袁世凯，于是到处散布"收拾残局非袁不可"的论调，清政府只好重新起用袁世凯。清政府先是任命他为湖广总督，袁世凯称"脚病"还没好，不去上任。后来不得已改任袁世凯为钦差大臣，节制各路兵马，袁世凯这才出兵南下。

袁世凯看到这时用清政府的招牌已经不能统治全国了，就玩弄两面派手法，一方面利用革命的声势威胁清朝统治者，迫使清帝退位；一面用自己手中的武力打击革命军，迫使南方革命党人向他让步，最后把政权交给他。

袁世凯打定主意后，先全力对付革命党人。他采取一打一拉的办法，进行军事进攻。北洋军攻下汉阳后，他命令军队按兵不动，只是隔江炮轰，进行军事威胁，做出很快就要渡江的样子，胁迫南方革命党人和谈。这时帝国主义也利用革命党人的软弱从中活动，要他们与袁世凯和谈。

在这种情况下，南京革命政府与袁世凯分别派代表在上海举行和平谈判。这时刚刚成立的南京政府，由于得不到帝国主义的支持，财政很困难，军事力量也很薄弱。混入革命阵营里的旧官僚、大地主在和谈一开始就制造妥协的空气。他们派人暗中告诉袁世凯，表示愿意让袁世凯主政。

于是，袁世凯加紧打击立场坚定的革命党人。他一面做出不再和谈、准备军事进攻的样子，一面指使部下冯国璋、段祺瑞等四十多名将领发表通电，声时"誓死反对共和政体"，并扬言要武力解决。

在内外要求让步的强大压力下，孙中山只得妥协。他表示：只要清帝退位，袁世凯宣布赞成共和，他立即辞职，由袁世凯做大总统。袁世凯得到保证后，掉过头来压迫清王朝让步。他故伎重演，指使冯国璋、段祺瑞等四十多名将领，对外表示，坚决主张共和，要求清帝退位，并声言，如果清王朝反对，他们就带领全军进攻北京。同时，袁世凯又私下向清朝皇室保证一系列的优待条件。在袁世凯的威逼利诱下，清王朝也不得不让步。1912 年 2 月12 日，隆裕太后代表宣统皇帝宣布退位诏书。这样，中国最后一个封建王朝宣告灭亡，两千多年来的封建专制制度结束了。

2 月 14 日，孙中山依照自己的诺言，辞去了临时大总统的职务，临时参议院选举袁世凯为大总统。袁世凯从一个清朝大臣，摇身变成了中华民国的大总统，掌握了国家的最高统治权。袁世凯不顾人民想要共和的愿望，一心实行独裁专制。

袁世凯的野心暴露以后，更加无所顾忌，他在违背民心的道路上越走越远，竟在 1916 年称帝。可他仅做了八十三天的皇帝，就在众叛亲离和人民的唾骂声中死去了。

张勋复辟

1917 年，也就是袁世凯复辟失败后的第二年，中国又上演了一场复辟帝制的丑剧。张勋（1854~1923），江西奉新人。他原是清政府的江南提督，统帅江防营，驻扎在南京。辛亥革命爆发后，革命军进攻南京，张勋负隅顽抗，战败后率领残兵退到江北，据守徐州、兖州一带，继续与革命为敌。

民国成立以后，张勋和他的队伍继续顽固地留着发辫，表示仍然效忠于清廷，人们称这个怪模怪样的军阀为"辫帅"，他的队伍被称为"二次革命"有"功"，被袁世凯提拔为长江巡阅使。从此他拥兵徐州，成为一个声威赫赫的地方军阀。袁世凯死后，原来的副总统黎元洪当上了大总统，补选冯国璋为副总统，段祺瑞为国务总理。在人民的压力下，黎元洪宣布恢复《临时约法》，重新召集国会，各省取消独立，全国恢复到袁世凯解散国会以前的样子。然而，在平静的表面下，又暴露出新的矛盾。黎元洪虽然是总统，可是他没有实权，北京政府的实权操纵在国务总理段祺瑞的手中。两人的矛盾，即所谓的"府（总统府）院（国务院）之争"越来越尖锐，终于在第一次世界大战的参与问题上激化了。

1917 年，第一次世界大战正在进行。段祺瑞在日本帝国主义的怂恿下，极力主张参战，想乘机扩大军事实力；黎元洪则以美国为后台，反对参战。段祺瑞一气之下，跑到天津。黎元洪则趁机下令免除段祺瑞国务院总理的职务。段祺瑞决心以武力驱逐黎元洪，重新掌握政权。在他的唆使下，安徽、山东、福建、陕西等八省督军先后宣布独立，并且扬言要进军北京。

　　一直想拥戴清室的张勋密切注意形势的发展，认为这是复辟的绝好时机，他提出愿做"调停人"。黎元洪在这种情况下，不得已请张勋进京"调停"；段祺瑞则打算借张勋之兵驱逐黎元洪。

　　6月14日张勋带领辫子军进京后，立即派兵控制了各重要机关和战略要地，逼迫黎元洪辞职，积极准备复辟。张勋的行动得到了康有为的支持和拥护，他在听到张勋进京的消息后很是振奋，马上带着草拟好的复辟用的"诏书"赶到北京，参加复辟活动。

　　1917年7月1日凌晨1时，张勋穿上蓝纱袍、黄马褂，戴上红顶花瓴，率领康有为、沈曾植、王士珍，以及几位辫子军统领等一行五十余人，乘车进宫。

　　3时左右，废帝溥仪在养心殿召见张勋。张勋率领众人，对溥仪行三拜九叩的大礼。接着，张勋奏请复辟："隆裕皇太后不忍为了一姓尊荣，让百姓遭殃，才下诏办了共和，谁知办得民不聊生。共和不合咱的国情，只有皇上复位，万民才能得救。"溥仪假装谦逊地说："我年龄太小，无才无德，当不了如此大任。"张勋又说："皇上圣明，天下皆知，过去圣祖皇帝都是年龄很小就担当重任的。"年仅十二岁的溥仪说："既然如此，我就勉为其难吧！"

　　同日，溥仪发布"即位诏"，宣告亲临朝政，收回大权。接着他大举封官授爵，恢复清朝旧制。凡是参加复辟的重要分子，均被授以尚书、侍郎等要职，张勋为政务部长兼议政大臣，并被封为忠勇新王。这天，辫子军把在徐州就准备好的清朝国旗，挨家挨户的赠送，强迫商店和居民悬挂。那些清朝的遗老遗少又从各个角落里钻了出来，多年不见的清朝服装又出现在大街上，有些人甚至买来假发长辫，一时间北京大街上一片乌烟瘴气。

　　复辟的消息传出后，立即遭到全国人民的反对。孙中山在上海发表《讨逆宣言》，段祺瑞在日本帝国主义的支持下，组成讨逆军，攻入北京，防守的"辫军"一触即溃，张勋在德国人的保护下逃入荷兰使馆。这场复辟丑剧仅上演了十二天，就在万人唾骂声中草草地收场了。

五四爱国运动

你知道"五四青年节"是怎么来的吗？它是一场伟大的反帝爱国运动留给我们的纪念日。

1918 年，第一次世界大战以协约国的胜利而结束。中国作为战胜国之一，也派代表出席了巴黎和会。华丽的凡尔赛宫里充满了"战胜国"代表们的欢声笑语，中国代表则在自己的代表席上非常安静，就连在晚宴上他们也低着头很少说话。因为他们知道中国作为一个弱国，将会得到不公正的待遇。在和会上，日本人态度强硬，宣称如果得不到战败国德国在中国山东享有的特权，就不在和约上签字。英、美、法、意等列强决定以牺牲弱国的利益来达成他们之间的妥协，答应把战前德国在山东的特权转让给日本。而中国在会议一开始，就提出收回山东主权，却遭到了各国代表的拒绝。

中国外交失败的消息传来，全国一片悲愤。最令人痛恨的是，北京政府居然准备在和约上签字。5月2日，济南三千多工人举行演说大会，要求收回青岛。5月3日晚上，北京大学全体学生和北京高等师范学校的代表在北大开会，决定第二天在天安门前举行学生界大示威。李大钊和陈独秀亲自参加了这次运动。

1919 年 5 月 4 日，天气晴朗。下午一时左右，北京十几所高校的学生三千多人，从四面八方汇集在天安门城楼下，举行声势浩大的游行示威。学生们手持"还我山东"、"还我青岛"、"保我主权"、"废除二十一条"等标语，浩浩荡荡地从天安门出发，向东转入东交民巷。这里是当时的外国使馆区，不让中国人居住，成

了"国中之国"。游行队伍到达这里，遇到外国守卫的阻拦。当时有人提议"往外交部去，到曹汝霖家里去"，游行队伍便直奔赵家楼胡同曹汝霖的住宅。

学生们一路高呼"打倒卖国贼曹汝霖、章宗祥、陆宗舆"。当他们到达曹汝霖的住宅时，遭到守卫警察的拦阻。几个奋勇激进的学生打破玻璃，从窗口跳了进去，然后打开大门，学生们一拥而入，到处寻找曹汝霖。曹汝霖慌乱中从密道逃走了，正在曹家的章宗祥被学生们逮住，痛打一顿，最后学生们放火烧了曹宅。

曹宅起火后，大批军警赶到，抓走了学生32人。第二天上午北京各大专学校的学生代表召开会议，决定从即日起一律罢课，并通电全国各界，请求支援。接着，天津、上海、济南、南京、长沙、武汉等地的学生也纷纷罢课，甚至在北京留学的学生也集体向驻日的英、法、美、俄、意等国公使呈书，要求将胶州湾交还中国。北洋军阀政府不顾民意，继续镇压学生运动。

6月5日，上海工人开始罢工，要求罢免曹、章、陆三个卖国贼的职务。接着，各地工人纷纷响应，南京、宁波、厦门、芜湖等地的商人也陆续罢市。这时运动的中心，由北京转移到了上海，运动的主力也由学生变为工人，一场学生运动转成了一场全国规模的爱国反帝运动。

6月10日，北京政府被迫下令免去曹汝霖、章宗祥和陆宗舆三人的职务，同时释放了被捕的学生。中国代表也最终拒绝在巴黎和约上签字。

五四运动是中国近代以来一次彻底的反帝反封建的群众爱国运动，是中国新民主主义革命的开端。为纪念这次爱国运动所取得的伟大胜利和青年学生的爱国革命行国，五月四日被定为中国青年节。

中国共产党的诞生

zhonghuashangxiawuqiannian

1921 年 6 月底的一个夜晚，乌云遮天，一片漆黑，眼看一场大雨就要来临了。长沙的湘江码头，一个青年人和一个中年人，挤在人群中急急地登上了北去的轮船。这两个人就是毛泽东和何叔衡。他们怀着激动的心情，前往上海，参加中国共产党的第一次全国代表大会。

7 月 23 日，代表们全部到达上海。参加此次会议的各地代表共十三人，代表着全国的五十多名党员。中国共产党的两个主要创始人陈独秀（在广州）和李大钊（在北京），都因工作繁忙，无法分身，没有出席大会。

各地代表到达上海的时间先后不一，最先到达的是北京代表张国焘。由于他到得早，就和李达、李汉俊等一起进行会议的筹备工作，并被推举为成立宣言与党纲草案的起草人。

1921 年 7 月 23 日晚上八点，中国共产党第一次全国代表大会在上海法租界望志路李汉俊的家里秘密召开了。共产国际的代表马林也参加了大会。大会开始后，先由马林作报告，他讲了第三国际的使命和中国共产党的任务，建议中国共产党要特别注意做好工人的工作。接着拟定了会议日程，主要是制定党的纲领和实际工作计划，选举党的领导机构。

大会上，代表们把各自的不同意见提出来，相互讨论。7 月 30 日晚上，会议刚开始，突然有一人陌生的男子闯了进来，慌慌张张地说："走错了地方。"这引起了富有地下工作经验的马林的高度警惕，认为会议已被特务发现，要求大家赶快离开。代表们刚走，法租界的巡捕就来搜查，翻箱倒柜的检查一番，一无所获。上海是不能再待下去了，会议的召开地点必须转移，恰好李达的夫人是浙江嘉兴人，因此决定第二天到离上海较近的嘉兴南湖去继续开会。

李达的夫人对当地比较熟悉，她在湖南租了一条游船，让代表们以游湖作掩护，继续开会。十点左右，代表们在南湖的游船上召开"一大"的最后一次会议，恰好这时，天空下起了小雨，游人稀少，有利于大会的进行。

"一大"的胜利召开，庄严地宣告了中国共产党的成立。大会在代表们"共产党万岁、第三国际万岁、共产主义——人类的解放者万岁"的高呼声中胜利闭幕。

中国共产党的成立给中国历史的进程带来了决定性的影响。后来，由于当事人记不清楚"一大"召开的准确日期，就把七月份的第一天——"七一"作为建党节。

第一次国共合作

京汉铁路大罢工中"二七惨案"的发生，使中共领导者认识到：没有强有力的同盟者，要战胜强大的敌人是不可能的。为此，共产党试图与国民党结为统一战线，共同反对帝国主义与封建军阀。

当时在孙中山的领导下的国民党，还是一个比较进步的政党。但这时孙中山正处在苦闷彷徨中，正在这时，共产党派来李大钊和他商谈关于国共合作的问题，共同寻找中国的出路，两人一见如故，决定改组国民党，实行两党合作。

1924 年 1 月 20 日至 30 日，中国国民党第一次全国代表大会在广州举行，孙中山主持了大会。大会接受了中国共产党提出的反帝反封建的主张，重新解释了三民主义，确定了联俄、联共、扶助农工的三大政策。会上还决定建立一支以黄埔军校学生为骨干的革命军队。这次大会的召开标志着第一次国共合作的正式形成。

国共合作加速了中国革命的进程，在中国历史上出现了轰轰烈烈的大革命。赤潮澎湃，惊醒了五千余年的沉梦，中国的南方被革命的红色染红了。1925 年至 1926 年，革命力量统一了两党，建立起一个稳固的革命根据地。

1926 年 7 月 1 日，国民政府发布北伐宣言，决定向北发展，统一全国。7 月 9 日，嘹亮的黄埔军校的校歌响彻了广州城："怒潮澎湃，党旗飞舞，这是革命的黄埔！主义须贯彻，纪律莫放松，预备做奋斗的先锋！……"

北伐军一路势如破竹，相继攻下了湖南、湖北，接着向长江流域及其以北进展。其中，叶挺独立团和他所在的第四军因为战功卓著，被人们称为"铁军"。

北伐军的凌厉攻势使帝国主义慌了手脚！为了阻止和破坏中国的革命，他们采取了在革命内部寻找代理人的策略。很快，他们就看中了作为国民党新右派的北伐军总司令蒋介石，表示只要他维持中国的现有秩序，就对他全力支持。这时在北方掌权的张作霖也表示："只要蒋介石对于共产派加以彻底压迫，则南北之妥协非不可能之事。"

蒋介石在得到国内外反动势力的支持后，马上信誓旦旦地说："国民革命是列强各国的好朋友，决不用武力来改变租界的现状。"转而向革命者举起了屠刀。

1927 年 4 月 12 日，蒋介石在上海发动"四·一二"反革命政变，屠杀了大批革命群众。接着，汪精卫在武汉发动了"七·一五"反革命政变，逮捕和屠杀了大批革命者。在国内外反动势力的破坏下，轰轰烈烈的大革命失败了。

冯玉祥"逼宫"

zhonghuashangxiawuqiannian

你知道中国最后一个皇帝是谁吗？他退位后，过着怎样的生活？

中国末代皇帝宣统，名字叫溥仪。他不满三岁时继承皇位，刚刚做了三年皇帝，就爆发了辛亥革命。他在袁世凯的逼迫下退位。退位时，袁世凯允诺了一系列优待皇室的条件。让他仍然保留着皇帝的尊号，仍然住在紫禁城（故宫）里，民国政府每年供给他四百万元作为日常开支，皇室的私有财产，一律受到民国政府的保护。所以在紫禁城里，溥仪依然保留着一个"小朝廷"。他依然发布"上谕"，接受"王公大臣"的朝拜，过着锦衣玉食的生活。这种现象一直延续到清王朝灭亡后的第十三个年头。

1924 年 9 月，在第二次直奉战争中，直系将领冯玉祥发动了北京政变，把这个末代皇帝赶出了皇宫，在中国历史上彻底消除了清王朝的遗迹。

冯玉祥（1882~1948），原是北洋军阀吴佩孚的部下，曾经担任过陕西、河南等省的督军。后来因为财政上的问题，与吴佩孚发生很大的矛盾，被吴佩孚免去了督军的职务。冯玉祥因此对吴佩孚怀恨在心。

1924 年，第二次直奉战争爆发。吴佩孚率兵二十万在热河、山海关一带，与奉系军阀张作霖大战。当战斗打得最为激烈时，时任吴佩孚第三军总司令的冯玉祥突然把军队撤走，以急行军的速度秘密赶回北京。一路上，冯军切断电线，封锁消息。部队一进北京城，就派兵把守城门，占领车站、电报局、电话局等交通通讯机关，接管了北京全城的防务。在战争的前线，由于冯军的撤退，吴佩孚战败，乘船逃往南方。这就是现代历上著名的"北京政变"。

冯玉祥在控制了北京政权之后，立即下令让溥仪搬出故宫。当冯军将领鹿钟麟率领军警进入故宫执行命令的时候，紫禁城内乱成一团。当时，溥仪正在和"皇后"边吃水果边聊天，内务大臣慌慌张张地跑入宫中，哭丧脸，递上了冯玉祥关于废止清室优待条件的一纸公告，要溥仪签字，并限制他们在三个小时内全部搬出故宫。溥仪看完，又惊又恼，一下子站了起来，刚刚咬了一口的苹果滚落在地上。

鹿钟麟代表冯玉祥宣布：从今日起永远废除皇帝的称号，溥仪与中华民国的国民在法律上享有同等的一切权利；清室即日搬出故宫，可自由选择居住的地方；清室的一切公产应没收归国民政府所有。

溥仪怀着无可奈何的心情，召开了最后一次"御前会议"，对宫内太监四百七十多人、宫女一百多人，分别给予一定报酬，然后把他们遣散了。当天下午，国民军派汽车把溥仪及其眷属，移出故宫。

冯玉祥把末代皇帝驱逐出故宫，遭到了前清遗老旧臣的非难和反对，他们说冯玉祥"不近人情"。段祺瑞也反对冯玉祥"逼宫"。唯有孙中山发电报给冯玉祥，对他的行动表示完全赞同。

南昌起义

zhonghuashangxiawuqiannian

　　第一次国共合作破裂以后，国民党反动派疯狂地屠杀共产党员和革命群众，破坏了北伐取得的革命成果。

　　为了挽救革命，1927 年 7 月上旬中国共产党召开了中央紧急会议，调整革命的方向，决定在江西南昌发动一次武装起义。为此，中共中央成立了一个以周恩来为书记的前敌委员会，负责组织和领导这次起义。

　　7 月 25 日前后，周恩来、刘伯承、李立三等相继来到南昌。当时起义主要依靠三支军队：一是叶挺率领的由北伐中叶挺独立团改编的一万多人；二是贺龙率领的第二方面军的一部分军队；三是朱德领导的第三军的军官教育团。在校的学生有三百多人，都是中、下层军官。当时朱德还兼任南昌公安局长，掌握着两个警察大队。

　　起义前的形势非常危急。汪精卫和孙科等秘密商议，要解除贺龙、叶挺的兵权。他们计划是这样的：要贺龙、叶挺到庐山开会，乘机加以扣押；同时调出两人率领的军队，强行解除武装。这个密谋让在第四军担任参谋长的叶剑英知道了，他立即通知了贺龙和叶挺。于是，他俩决定立即将部队开往南昌参加起义。

　　7 月 27 日，前敌委员会扩大会议在南昌市中心的江西大旅社（现在为八一南昌起义纪念馆）召开。到会的有周恩来、朱德、叶挺、刘伯承等以及江西党组织的负责人。在会上，大家研究分析了敌我的力量对比；敌人只有一万多兵力，我军有三万多人，而且又是先发制人，敌人没有准备，估计这次起义能够成功。会议决定任命贺龙为起义的代总指挥，叶挺为前敌代总指挥。

由于当时贺龙还不是党员，所以没有参加这次会议。第二天，周恩来亲自把武装起义的计划，郑重而又诚恳地告诉贺龙，并征求他对起义的意见。贺龙毫不犹豫地表示："很好，我完全听党的话，要我怎样干，就怎样干。"

7月31日下午五点左右，前敌委员会召开团级以上干部会议，布置具体的战斗任务。晚上九点钟以后，起义部队进行动员，秘密进入指定的战斗岗位。不料有一个姓赵的副营长叛变，当他准备向敌人告密时，被该营的战士发现了，立即报告给了贺龙。贺龙马上告诉了周恩来，于是他们决定尽早提前发动起义。

这天晚上，为了麻痹和稳住一部分敌人，朱德根据党的指示，把第三军两个主力团的团长和一个团副，请来赴宴，随后，又请他们打麻将，一直玩到起义爆发前夕。

8月1日凌晨，南昌城内外响起了激烈的枪声。起义军按照原定的计划进行。经过几个小时的战斗，歼灭了敌人三个师六个团共一万多人，缴枪一万多支。南昌起义取得了胜利。

8月5日，起义军撤离南昌，挥师南下，不料，在潮汕地区遭到优势敌人的围攻，损失严重。剩下的部队一部分转移到海陆丰，与当地的农民军会合，继续坚持战斗；一部分由朱德、陈毅率领，转战到湖南。1928年4月与毛泽东领导的秋收起义部队在井冈山会师。

南昌起义是中国共产党独立领导革命军进行武装斗争的开始，也是中国共产党创建人民军队的开始。后来，党中央规定以八月一日作为中国工农红军的纪念日。这就是"八一"建军节的来历。

中原大战

蒋介石公开叛变革命后，立即着手建立反革命政权。1927年4月18日，蒋介石在帝国主义、豪绅地主和买办资产阶级的支持下，在南京建立了南京国民政府。

南京国民政府名义上是中央政权，实际上只统治着江西、安徽、江苏、浙江和福建五省。中国的其他省份仍然存在着许多大大小小的军阀。其中较大的军阀有冯玉祥集团，占据着山东、河南、陕西、甘肃等省；阎锡山集团，控制着山西、察哈尔、河北和北平（蒋介石建立南京政权后，下令把北京改为北平）、天津一带；以李宗仁为代表的桂系集团，占据着湖北、湖南、广东、广西四省。此外，还有东北的张学良，四川的刘湘，云南的龙云等，历史上把他们称为国民党新军阀。

这些国民党新军阀各自依靠某个帝国主义国家的庇护和支持，相互争权夺利，连年混战。其中大规模的战争就有四次，分别是蒋桂之战、蒋冯之战、蒋与张桂联军大战以及中原大战。这四次战争都以蒋介石的胜利结束。其中值得一提的是中原大战，因为这次战争规模最大，对全国的政局有一定的影响。

蒋介石在前三次军阀混战中接连取得了胜利后，不免有点骄横跋扈，不可一世。他想削弱其他军阀，在全国建立独裁统治，激起了国民党内各派对他的不满。

阎锡山看到形势有利，认为胜利在握，就在1930年3月中旬，召集了反蒋力量各方代表五十多人，在太原开会。会上，各路代表公推阎锡山为"中华民国军"总司令，冯玉祥、李宗仁为副总司令，共同反蒋。这样，一场空前规模的军阀大混战开始了。在东起山东，西至襄樊，南到长沙，北到河北的数千里的战线上，一百多万军队展开了激烈的相互厮杀。

战争开始的时候，反蒋的军队进展较为顺利，接连攻下济南、商丘，桂系军队也攻占长沙、岳州。蒋介石见军事上失利，马上使出惯用的阴谋，收买阎、冯的一些部下，瓦解对方的力量，使战争进入了相持状态。

这时，拥兵关外的张学良处在举足轻重的地位，双方都在努力地争取他。蒋介石以"中央"的名义，极尽拉拢之能事，先后派人到东北去见张学良，任命东北军要员为青岛市长，委任张学良为陆海空军副总司令，又以赈济辽东水灾的名义贿以三千万元的巨款。但张学良仍然不愿立即表态，继续持观望态度。8月下旬，蒋介石的军队攻下了济南，逐渐取得优势。此时，张学良遂下定决心，发出拥蒋通电，派兵入关，占领了北平、天津。战争的形势立刻发生变化，反蒋派败局已定。

在蒋介石和张学良的联合攻击下，反蒋连吃败仗。最后阎锡山跑到大连避难，冯玉祥去了泰山，闭门隐居，攻入湖南的桂军也败退广西，历时七个月的中原大战，以蒋介石的胜利宣告结束。蒋介石在形式上统一了全国。

九一八事变

"高粱叶青又青，九月十八来了日本兵！先占火药库，后占北大营，杀人放火真是凶！中国的军队好几十万，'恭恭敬敬'让出了沈阳城！"

三十年代初期的这支九一八小调，唱出了东北人民的苦难，控诉了日本侵略者的暴行和国民党政府的妥协政策。

日本侵略中国的阴谋由来已久。经过一番精心准备，日本开始了它的侵略行动。1931年9月18日晚上10点左右，日军自己炸毁了沈阳郊区柳条湖附近的一段铁路，反而诬陷是中国人搞破坏，随即开炮轰击东北军驻地北大营及兵工厂等地，步兵也在坦克的掩护下，向各处进攻，袭击沈阳城，制造了"九一八事变"。

事变发生后，东北当局南京中央政府请示对策。但蒋介石坚持"攘外必先安内"，积极部署围剿红军，对东北军下令："绝对不抵抗"，"即使日军勒令缴械，钻入营房，均可听其自便。"这样，第二天早上，日军在没有遇到任何抵抗的情况下，轻而易举地占领了沈阳城。当地的中国驻军、警察、宪兵都被缴械了，城内的军政、民事、财政和文化等机关也都被占领了。全国最大的沈阳兵工厂、制炮厂和三百多架飞机，还有弹药、被服和军粮等不计其数的军事资源，也全部落入日军的手中。一夜之间，数千里锦绣河山就落入了日寇之手。

面对日寇的侵略，蒋介石不但不组织抵抗，反而下令不让爱国官兵抗日。他密令张学良的东北军数十万人，全部撤入山海关内。他还在南京发表讲话："此刻必须上下一致，先以公理对强权，

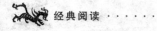

经典阅读 ······

以和平对野蛮，忍辱含愤，暂取逆来顺受的态度，以待国际公理之判决。"

由于这种不抵抗政策，不到一个星期，日军就占领了辽宁和吉林两省。11 月初，日军又向黑龙江进攻。当时一部分东北军官兵，如马占山等率领的部队，在全国人民抗日救亡运动的影响下，曾经自发地组织起来抵抗日军的侵略，但是由于缺乏正确的领导，国民党政府又拒绝接济，不久就被日本帝国主义分化瓦解了。第二年初，日军完全占领了东北三省。前后仅三个多月的时间，一百三十万平方公里的领土、三千万同胞、四十八亿元的资产和其它不计其数的宝藏，就被蒋介石拱手让给了日本侵略者。

流亡关内的东北人民相互传唱出一首悲凉的歌曲："我的家在东北松花江上，那里有森林煤矿，还有那满山遍野的大豆高粱。我的家在东北松花江上，那里有我的同胞，还有那衰老的爹娘……"歌声飘荡在中原大地上，中华儿女被激怒了，要求抗日的热潮一浪高过一浪。

9 月 22 日，中共中央发表宣言，提出组织群众的反日运动；10 月初，上海八十万工人组织抗日联合会，要求国民党政府立即出兵抗日；上海商业界也宣誓不买卖日货；全国各地的学生纷纷罢课，11 月初，北平、天津以及各地的学生代表纷纷到南京请愿……一场全民族的抗日战争就要爆发了。

红军反围剿

南昌起义揭开了中国共产党武装斗争的序幕，广州起义、秋收起义相继而起。

秋收起义后，毛泽东率领部队攻打长沙失败，遂放弃继续攻打中心城市的策略，转而登上了湖南、江西两省交界处的罗霄山脉，在井冈山上安营扎寨。在那里，毛泽东领导革命军队开展游击战争，打土豪分田地，建立自己的根据地和革命武装。

经过三年多的艰苦奋斗，星星之火慢慢燃成燎原之势。到 1930年上半年，中共领导的工农红军已有十万多人，分布在江西、福建、湖南、湖北、陕西、河南、安徽等省的三百多个县，建立了大小十五个革命根据地。

刚开始，蒋介石忙于军阀混战，对红军和苏区的存在并不介意，他认为这些起义都是星星点点的"地方事件"。但是，当他发现这些所谓不起眼的"红区"将要连成一片时，才惊慌起来。

为了剿灭红军，从 1930 年 12 月起至 1933 年 3 月下旬，蒋介石先后对中央发动了四次大规模的围剿，出动兵力达一百二十多万人之多。苏区的根据地军民采取避敌主力，诱敌深入，集中兵力，各个歼灭敌人的作战方针，粉碎了敌人的围剿。

1933 年 2 月，在经过前三次"围剿"的失败后，蒋介石调动五十万大军，兵分两路，采用"分进合击"的战术，气势汹汹地向中央革命根据地发动第四次"围剿"，妄图一举消灭中央红军。

面对来犯之敌，时任红军总政委的周恩来，与红军总司令朱德临危不乱，密切注视敌人的动向。他们决定佯攻南丰，吸引敌

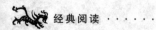

人主力增援南丰；红军的主力军埋伏在黄坡、登仙桥一带的高山密林中，待机破敌。

红军故意将一份假电报落入敌人手中。电报内宣称：我工农红军正围攻南丰，旦夕可下，惟乐安之两师白军，若向河口、黄坡前进，则我红军不特无法攻下南丰，本身亦感至大危险。万望派人监视此两师敌人，果其南来，即迅速报告，予当率乐安两团竭力抵抗之。

敌人第一纵队指挥官罗卓英得知红军只有两个团的兵力打阻击，心中大喜，更害怕被别人抢了头功，急忙命令两个师的兵力为一路，自己亲自率一个师的兵力为一路，向红军发起进攻，企图截断红军主力撤回中央根据地的后路。

敌人上当了！面对冒进之敌，朱德司令一边用铅笔在地图上画了个圈，一边对周恩来笑着说"来而不往非礼也，打！"

当晚，四万多红军战士在周恩来、朱德、聂荣臻的率领下，冒着雨向伏击地点开进。经过急行军，部队终于在天亮之前，到达潜伏地点，静候敌人。

中午时分，山间烟雾弥漫，峰峦皆陷，雨也已经停了。敌军大摇大摆地来到了山口，一时间人喊马嘶，好不热闹，见敌人已进入埋伏圈，红军指挥部发出总攻命令。伴随着"砰砰"的几声信号枪响，幽静的山谷便爆发了震动山岳的枪炮声。炮弹疾风骤雨般地扑向敌人。嘹亮的冲锋号吹响了，红军战士个个如下山猛虎，敌人被打得晕了头，挤在狭窄的山谷中，乱成一团，自相践踏。

同李明一路的另一个师此时也陷入了红军布下的天罗地网之中，师长陈时骥风势不妙，急忙写信向李明求援，但殊不知李明也是泥菩萨过河，自身难保。等不到援兵，陈时骥只好组织突围，但又迷失了方向。抓来一个农民作向导，不料这个农民却把他领进了登仙桥附近的红军埋伏圈，结果被生擒活捉。

等敌人增援部队到达时，他们看到却是鲜血横流，弹坑遍野，尸体满山；奄奄一息、哀号哭叫的伤兵在地上痛苦的挣扎，令人不寒而栗，再想想日寇在中国横行，而同胞却在内战场上自相残杀，国民党军队不免出现了厌战的情绪。

3月20日，敌人号称"王牌"的第十一师又被红军大部分歼灭。这使敌人再无斗志，其他部队只与红军进行了小小的接触后，就仓皇撤走了。红军取得了第四次反围剿的胜利！

在作战中，红军的力量不断壮大，到第四次反围剿结束的时候，红军已经发展到二十多万人，控制着二百五十万人口的土地。蒋介石再也不敢轻视共产党了，他哀叹说："这是我一生最大的耻辱。"

但是，后来由于中国共产党内部王明"左"倾错误占了上风，在军事上放弃了毛泽东的正确主张，实行进攻中的冒险主义，主动进攻敌人坚固设防的阵地，结果在第五次反围剿中惨遭失败，红军被迫开始长征。

西安事变

zhonghuashangxiawuqiannian

　　1936 年 12 月 12 日凌晨，古城西安晨曦未明，寂静的大街上，突然开来了十几辆卡车，上面有全副武装的东北军一百多人，他们正向蒋介石的住所临潼华清池飞驰而去。他们一到华清池，就直奔蒋介石的住处。蒋介石的卫队慌忙抵抗，一时间，华清池内枪声四起，经过一阵激烈的枪战，东北军士兵解除了卫队的武装，冲进了蒋介石的卧室。蒋介石已经不在了，但他的假牙还在桌子上，鞋子仍在床下，有人用手试了一下被窝，还暖暖的。士兵们立刻搜索附近地区。原来，蒋介石在睡梦中，忽然听到枪声，感到大事不好，慌忙向后山逃去，急乱中摔倒在乱草沟里，脊骨摔伤了，躲在一块长满杂草的大石头后面，东北军经过紧张的搜索，终于找到了蒋介石。与此同时，西北军在西安城内扣押了随蒋介石前来的各军政要员，这就是震惊中外的"西安事变"（又称"双十二事变"）。

　　"九·一八事变"后，东北军将领张学良（1910~2001）丢失了东北家园，背着"不抵抗将军"的罪名，带领东北军奉令来到西安，向刚刚到达陕北的红军进攻，东北军士气低落，连吃败仗，不到三个月，三个师的人马全军覆没。蒋介石不但不给抚恤，反而减发军饷，取消被歼灭师的番号。"剿共"的失败，使张学良和东北军非常震动，士兵们纷纷要求，与其和红军作战，不如打回东北老家去，张学良也感到继续"剿共"是没有出路的，国难当头，只有抗日才能挽救东北军，只有抗日才能拯救国家的危亡。

　　这时的中共为了团结一切抗日力量，也在积极争取东北军，周恩来亲自和张学良进行了会谈，周恩来坦诚地说："我们中国共产党提出停止内战、一致抗日，完全是为了国家和民族着想，我们愿意联合东北军打回老家去。"张学良听了周恩来的话，非常感动，也表示热烈赞成中共的抗日主张，为了国家的存亡，愿意和中共一起逼蒋抗日。

中共和张学良密切联系的同时，又派人做西北军将领杨虎城（1893~1949）的工作，杨虎城早年曾经参加过辛亥革命，大革命时期和中共有过交往，并一直保持友好的关系，现在，他奉令和张学良一起剿共，对蒋排斥异己的做法十分不满。经过中共的争取，他也决心停止内战，联共抗日，为此，杨虎城和张学良之间也建立了密切的联系，成了一对好朋友，他们约定共同劝蒋抗日。

对于张学良和杨虎城的变化，蒋介石非常气愤，他亲自到西安去督战。张学良和杨虎城趁机劝说蒋介石："现在日本将要灭亡中国，我们不能再打内战了，应该立即组织力量，抵抗日本人的侵略"，"对于剿共，广大士兵情绪低落，他们要求开赴抗日前线，愿委员长放弃剿共计划。"两人苦苦劝说了多次，最长的一次长达三个小时，但蒋介石毫不理会。张学良见苦劝不成，又声泪俱下地"哭谏"。蒋介石气得把桌子一拍，厉声说："我不听，我的剿共计划是不会改变的。"12月9日，西安爆发学生要求抗日的游行示威，蒋介石打电话要张学良予以镇压。结果张学良一出现，站在前列的东北大学生情不自禁地高呼："我们愿意为救国而流血！愿为救国而牺牲！"一万多名学生哭喊着要求抗日，结束内战。张学良被学生的爱国热情深深地感染了。他答应学生："你们的救国心愿我不忍辜负，在一个星期内，我用事实答复你们！"

张学良和杨虎城苦谏蒋介石不成，不得已实行了"兵谏"。于是12月12日，西安事变爆发，震惊国内外，出现了错综复杂的局势。张、杨立即电请中共代表到西安，共商救国大计。中国共产党从全国大局出发，主张和平解决西安事变；放回蒋介石，让他答应共同抗日。西安事变获得了和平解决，在民族危亡的关键时刻，国共再次合作，共赴国难。

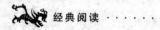

卢沟桥的枪声
zhonghuashangxiawuqiannian

"卢沟晓月"是北京的几大胜景之一，可是 1937 年 7 月 7 日晚上的卢沟桥，在黑夜的暮色中透出一股肃杀之气。

这天晚上，日本侵略者在卢沟桥附近进行实弹军事学习。深夜十一点左右，日军忽然声称：仿佛听见宛平县内有枪声，致使演习部队发生混乱，丢失了一名士兵，要求进入宛平县城搜查，中国的守军检查了士兵所携带的子弹，证明没有放枪的可能，拒绝了日军进入宛平城搜查的无理要求。双方正交涉时，日军突然向宛平县开枪射击，接着又炮轰卢沟桥，中国守军被迫奋起还击，点燃了卢沟桥的抗日烽火。

地处平汉铁路线上的卢沟桥是北平通往南方的唯一门户。日军占领了卢沟桥，就封闭了北平的南大门，就可以孤立平、津，使国民党不战而降，当时驻防平津一带的是国民党二十九军，他们曾经受过中国共产党领导的抗日救亡运动的影响，有着强烈的抗日要求。受到日军的攻击后，旅长何基沣、219 团团长吉星文亲自到前线指挥作战，激励将士们与卢沟桥共存亡，并命令道："坚守阵地，坚决回击，坚持抗战到底！"战士们接到命令后，提着大刀，冲出城门，杀向卢沟桥畔，大刀挥舞，杀声震天，二十九军官兵斗志旺盛，与优势的敌人顽强作战。驻守在卢沟桥东头的一个连的战士，最后只剩下四个人，其余全部为国捐躯。

卢沟桥事变在全国引起了强烈的反响。7 月 8 日，中共中央通电全国："平津危急！华北危急！中华民族危急！只有全民族实行抗战，才是我们的出路！"中国工农红军也声明，愿意改编为国民革命军，一同抗日。蒋介石也发表讲话："如果战端一开，那就是地无分南北，年无分老幼，无论何人，皆有守土抗战之责任，皆应抱定牺牲一切之决心。"

全国各阶层的爱国群众也纷纷自发行动起来，积极开展救亡运动。地处平津的工人、农民自动组织起来，出粮、出草、出工，帮助军队修工事、道路、送饭、送情报，运送武器弹药，救护伤员。广大群众还组织了募捐团、慰问团、看护队、宣传队等服务组织，进行抗战支前活动，全国汇成了一股军民抗战的洪流。

8 月 22 日，国民政府将红军编入国民革命军第八路军序列，由朱德任总指挥，彭德怀为副总指挥。这标志着抗日民族统一战线正式形成了，中华儿女用自己的血肉筑起了一道防御日寇的长城。

南京大屠杀

zhonghuashangxiawuqiannian

　　兽性能够虐杀人性吗？野蛮能够扼杀文明吗？人能够退化为兽类吗？这是善良的人们面对南京大屠杀所发出的疑问。

　　1937 年 12 月 13 日，日军占领了中国的六朝古都、当时的国民党首都南京，制造了骇人听闻的南京大屠杀，令世界为之震惊。

　　1937 年 11 月，日军攻下上海，结束淞沪战后，立即兵分三路向南京进攻，败退的国民党官兵打着破破烂烂的青天白日旗，龟缩进离上海三百公里的南京。蒋介石急忙召集高级将领商量对策。会上，何应钦、李宗仁和外国首席军事顾问都主张后撤，只有唐生智表示："坚守南京，誓复报国仇"。于是蒋介石任命唐生智为城防总司令，率领十五万军队留守。国民政府宣布迁都重庆，政府机关和军政要员全部撤走。

　　12 月 10 日，日寇全面进攻南京。12 日，日军占领了雨花台，接着猛轰中华门。下午 5 点左右，唐生智召集守城将领宣布"委座命令"：如果情况不能持久时，可相机撤退。十几万守军誓死守城的神圣命令使顷刻之间就化为烟云，随着一纸命令而消散了。命令刚刚下达二十分钟，腐败的国民党军队就开始大溃逃。看到这种情形，连唐生智也惊讶不已，他无可奈何地承认："我对不起国人，也对不起自己。"

　　13 日，日军从中华门开进了国民政府的首都，为了发扬日本的武威，使中国畏服，日军下令实行长达六个多星期的大屠杀。命令一下，日军就开始大肆逮捕已经解除了武装的中国士兵和城市居民，然后加以集体杀害。15 日，日军在汉中门外杀死两千多人，

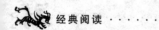

在鱼雷营杀死九千多人；16 日，在中山码头集体屠杀平民五千多人；18 日，在草鞋峡杀死五万七千多人，杀死后用煤油焚尸，在下关用机枪射杀四千多人。另外，在燕子矶江滩，死亡数达五万多。

据当时东京的《东京日日新闻》报道：第十六师团的军官野田岩和向井敏明，在南京紫金山下开展了杀人比赛，向井敏明杀了一百零六人，野田岩也杀了一百零五个人，两人相互不服气，决定看谁先杀足一百五十人，再来决定胜负。这大概是世界上最荒唐、最野蛮、最没人性的比赛了。这样的比赛也只有在灭绝人性的日军中才会出现！日军集体屠杀的十二处现场有八处是在长江岸边，南京城一段三十里的江面上，洒下了十四余万人的鲜血。

日军在凶残的屠杀的同时，还疯狂地强奸所见到的妇女，成千上万的妇女被侮辱后，又遭枪杀、刀戳、毁尸等，有的死后连内脏也被掏出来喂狗。当时几乎所有的外国舆论都惊呼："南京变成了魔鬼统治的地方！"

日军不但凶残，而且贪婪，不但要血洗南京，而且还要抢劫、焚毁南京。大大小小的火车、轮船、卡车，甚至连儿童的娃娃车也成了抢劫用的运输工具。被抢劫的财物无所不包，金银细软、古玩玉器，甚至连家具、食盐、大米、糕饭、日用百货等都被席卷一空，抢劫一空之后，日军又在南京城内大肆放火，冲天的火焰燃烧了三十九天，古老的南京城面目全非。

在这场长达六个多星期的大屠杀中，日军共杀害了中国军民三十多万人，抢劫的财产不计其数。这场民族的灾难永远值得中国人民记住。

血战台儿庄

自侵华以来，日军一路南下，侵占了中国的大片领土，为了夺取津浦路和陇海路上的枢纽——徐州，以便将侵华的南北军队连成一片，日军派兵从山东向徐州南侵，企图先占领台儿庄，然后采取两路军队南下、北上同时并进的策略，一起围攻徐州。

国民党军第五战区司令长官李宗仁，按照预定的计划在台儿庄附近集中了四十万人的优势兵力，准备阻击敌人。

台儿庄往南不远就是陇海铁路，往西就是津浦铁路，还是津浦路临枣台（临城、枣台、台儿庄）铁路支线的终点，南北运河也从这里经过，地里位置非常重要，因此这个只有四千多户居民、两万多人口的小镇，成了中日双方的必争之地。

3月下旬，日军集中了四万多人的兵力，配有大中小型坦克八十多辆，各种山野炮和重炮一百多门，同时还配有飞机助战，向台儿庄发动了猛烈的进攻。国民党三个师迎击敌人，顽强抵抗，战斗极为激烈。日军猛攻了三昼夜，才冲入城内。退守城内的守军又利用宅院墙基同敌人展开了激烈的巷战，尽管日军已经占据了台儿庄的三分之二，但是坚守在南关一带的国民党军队仍然拼死守卫，为国民党的外线部队完成对台儿庄敌军的包围争取时间。4月初，国民党军切断了敌人的退路之后，立即向台儿庄的敌军发动了攻击。

这时，台儿庄的敌军才发现自己深陷包围圈之中，慌了手脚。他们除一面抵抗外，一面向附近的板垣师团求救。板垣师团闻讯后，放弃攻打临沂，实行围魏救赵的办法，进攻向城，企图解救被围困在台儿庄的日军，但在向城一带也受到国民党军队的沉重打击，被歼灭了三千多人。4月6日，国民党军队向台儿庄的敌军发起了全线攻击，日军伤亡惨重，下令"突围撤退"。李宗仁命令乘胜追击，敌军一部分被歼灭，一部分溃退逃走，两个最精锐的师团被消灭了。

台儿庄战役，是国民党战场在抗战初期取得的一次较大的胜利，这次胜利有力地打击了日寇的嚣张气焰，极大地鼓舞了中国人民抗战的信心。

这次战役的取胜是由于多种因素促成的。首先是国民党军队在兵力上占绝对优势（以四十万人对八万多人），并且得到共产党领导下的鲁南游击队的密切配合和当地群众的大力支持，同时他们利用了台儿庄一带的有利地形，采取阵地与运动战、游击战相配合的作战方式；而当时作战的日军缺乏有利的配合，前线指挥官又骄傲轻敌，孤军深入，以至陷入重重包围之中。

但是，台儿庄战役的胜利，并不能扭转整个国民党战场溃败的局面。不久，日军就从南北两线增调兵力，切断国民党军队的后路并形成对徐州的包围，国民党军队陷入一片混乱之中，不仅台儿庄没有保住，还在5月19日丢掉了徐州。

汪精卫叛国投敌

汪精卫（1883~1944）生于广东番禺一个封建幕僚的家庭。他原名兆铭，字季新，号精卫。十三岁时母亲去世，第二年父亲去世了1903年，二十一岁的汪精卫考上日本法政大学的官费生，东渡日本留学。他十分仰慕孙中山，在留学期间，加入同盟会，曾任《民报》的主编，和康有为，梁启超论战，积极宣传孙中山的革命主张。

回国后，他积极参加革命行动。1910年因为刺杀清朝的摄政王载沣没成功，被捕入狱。第二年出狱后，投奔袁世凯，拥戴袁世凯就任大总统。袁世凯死后，重新投奔孙中山。1924年1月，在国民党第一次全国代表大会上被举为中央执行委员。1927年7月15日，他在武汉发动了反革命政变，后来又曾任南京国民政府行政院长、外交部长等职务。

"九·一八"事变后，汪精卫主张对日妥协，抗日战争爆发后，他担任国民党副总裁、中央执行委员会常委、国防最高会议副主席等，是国民政府的二号人物。然而，1938年12月，他却投降日本。1940年3月，在南京成立了伪国民政府，1944年死于日本。

汪精卫是怎样叛国投敌的呢？

抗日战争开始后，汪精卫就和周佛海等人组织"低调俱乐部"，大肆鼓吹"抗战必败，和未必大乱"等妥协投降的谬论。他自己也曾经承认说："自从卢沟桥事变发生以后，我对于中日战争，固然无法阻止，然而没有一刻不想着转圈。"

1938年3月，汪精卫派他的亲信高宗武去香港和日本代表进

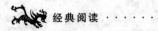

行秘密接触。10 月，汪精卫在同路透社记者谈话时，公开吹鼓同日本议和的问题，他说："如果日本提出之议和条件，不妨碍中国国家之生存，吾人可以接受之，为讨论之基础。"特别在日本相继侵占了广州、武汉等大片领土后，汪精卫的议和活动更加猖獗，他宣称："我对于觅得和平的意见，在会议里不知说过多少次，到广州丢了，长沙烧了，我的意见更加坚决，更加期盼实现。"

汪精卫下定决心降日以后，就把他的行动付诸实行。汪精卫把在成都的陈公博召回重庆，然后同周佛海等在他的寓所秘密商议叛国投敌出逃的行动计划。准备充分以后，1938 年 12 月 18 日，汪精卫一行乘飞机从重庆飞往昆明，接着又飞往越南河内，在日本政府发表了近卫首相第一次对华声明后，汪精卫马上在河内发表"艳"电，即 29 日发的电报（过去电报未用诗韵日代表日期），表示响应，愿意和日本进行和谈。至此，汪精卫就由妥协派一变成为公开投敌的大汉奸了。

汪精卫的叛国投敌，遭到全国人民的愤怒声讨，延安、各抗日根据地及国民党统治区的人民纷纷举行讨汪大会。周恩来在重庆对路透社记者发表谈话时，深刻揭露汪精卫"在他的政治生涯中，时常改变趋向"，汪精卫的叛国行动"既不能破坏中国内部团结，也不能损害中国抗战力量"。国民党统治区的各民主派和各界进步人士也纷纷发表讨汪通电，要求国民政府严厉制裁汪精卫等人。

汪精卫在人们的痛骂声中，秘密离开河内走海路到达上海，后又转赴南京。1940 年 3 月底，伪"国民政府"在南京成立，汪精卫代理主席和行政院院长。他协助日本人侵略中国，镇压中国人民的反抗运动，在中国历史上留下了千古骂名。

百团大战

青天霹雳太行头，万里阴霾一鼓收。

英帅朱彭筹此役，竟扶危局定神州。

这是曾经发表在《八路军军政杂志》上的一首诗，题目叫《寄慰百团将士》。它让我们联想到这样一幅图画：在荒凉的山冈上，一个人站在战壕旁，身穿破旧的军装，手里拿着望远镜，正在全神贯注地观望远方。这就是彭德怀副司令员当年在百团大战的前沿阵地观察敌情指挥战斗的情景。

1940 年，中国的抗日战争进入了第四个年头，日本正积极发动太平洋战争，它一面截断中国西南的国际交通线，扬言要进攻西安、昆明和重庆等地，在军事上对国民党政府施加压力，同时在政治上加紧对国民党进行诱降。而国民党政府则更加消极抗日，积极反共，妥协投降的可能性越来越大。同时日军将主要的兵力用来对付中共领导的抗日根据地。

为了挽救时局，打击国民政府的投降活动，粉碎敌人的"囚笼政策"，扩大和巩固抗日根据地，八路军总司令朱德和副总司令彭德怀决定在华北组织一次大规模的战役。他们从 7 月上旬开始准备，8 月上旬发动攻击，参加作战的兵团共有一百零五个，四十万人的兵力，所以称为"百团大战"。

整个战役分三个阶段进行。第一阶段从 8 月 20 日起到 9 月 10 日结束。作战的中心任务是破坏敌人的交通线。作战命令下达后，一百多个团的将士在一个小时内全面展开攻击，到处是枪声和爆声，敌人无数据点同时发出求援急电，把敌人指挥官弄得手忙

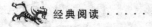

脚乱，狼狈不堪。结果是敌人在华北的交通完全陷于瘫痪状态，沿线的重要据点被破坏了。

战役的第二分阶段是从 9 月 20 日至 10 月初，作战的中心任务是攻坚战，主要是消灭交通线两侧和深入根据地的敌人据点，借以扩大第一阶段作战成果。八路军发扬连续作战、不怕牺牲、不怕疲劳的革命精神，英勇顽强地同敌人展开了攻坚战，在这一阶段，一共进行了大小战斗六百二十多次，攻克敌人据点一百二十多座，打死打伤日伪军七千多人，同时八路军也付出了巨大牺牲。

战役的第三阶段是从 10 月 6 日到 12 月 5 日，作战的重点是反"扫荡"。敌人在遭到一系列的沉重打击后，一面恢复交通线，一面调动了三万多人的兵力，对华北抗日地区进行报复性的"扫荡"。

敌人的"扫荡"首先从太行地区开始，所到之处，实行"烧光"、"杀光"、"抢光"的三光政策，对根据地军民实行残酷的报复。八路军浴血奋战，有的部队连续作战，二十多天吃不上一顿饭，睡不上一宿足觉，有的一天只能喝到两碗南瓜汤，困了就在战地上睡一小会儿。彭德怀、左权等部队首长总是亲自到战争的前线，冒着枪林弹雨指挥作战。在八路军的坚决反击下，12 月初，日军被迫撤退，反"扫荡"取得了胜利。

百团大战前后进行了三个多月，八路军作战一千八百多次，击毙、打伤、俘虏和投诚的日伪军有四万多人，攻占伪据点二千九百多个，破坏铁路、公路近二千公里，还缴获了大量的武器弹药。

百团大战震惊了国内外，沉重打击了日寇的嚣张气焰，粉碎了敌人的"囚笼政策"，打乱了敌人的战略部署，使敌人惊呼"对华北应有再认识"；它大大振奋了全国人民抗战胜利的信心，打击了国民党反动派妥协投降的活动，大大提高了中共领导下的抗战军队的声威，百团大战在抗日战争史上写下了光辉的一页。

张自忠殉国

zhonghuashangxiawuqiannian

1940 年 5 月 16 日，一队日本兵押着俘虏、抬着一具用白布包裹的尸体经过一个市镇，当本地的百姓们知道那具尸体是英勇战死的国民党高级将领张自忠将军时，不约而同地涌到街道上，跪倒在地上失声痛哭。一个被俘的国民党军师长也走在队列中，看到痛哭的人们，他大声说道："自忠将军没有泪！他也不愿意看见眼泪！"

张自忠将军没有泪，人们都这么说。连日本人也说，他是中国第一位男子汉。他最后战死时，杀死他的日本人整整齐齐地列队向他的遗体敬礼，并像护送自己将军的尸体一样护送他离开战场。有一个日军少佐还在张自忠倒下的地方，竖了一块木牌，上面写着"支那大将军张自忠"。

张自忠（1891~1940），山东临清人。1914 年他在天津法政学堂读书时，投笔从戎，曾经担任过排长、连长、营长、团长、旅长、师长等职务，并先后兼任哈尔省主席、天津市市长。抗日战争爆发后，他指挥的 29 军扩编为第一集团军，他率领的 38 师改编为59 军，开到前线对日作战。

张自忠的军纪严明尽人皆知。有一次，军队在雨中行军，突然接到停止前进的命令，大雨中，全军肃立。张自忠身披黑色大氅。策马来到军前。一阵凄厉的军号声响起来。将士们统统变了脸，因为那是杀人的号音，两个士兵被五花大绑地推过来。张自忠凝视着他们，很久才向站在身旁的警卫员摆摆下巴，枪声过后，两具尸体躺在他的马前。张自忠向全军宣布了他们的罪状：昨天，这两个人跑过一个小店铺时，拿了两把伞，不但不给钱反而打了店老板。"这种时候，我不得不这样做。"张自忠说，"我要打仗，而且要打胜仗。"他吩咐手下把绑在他们身上的绳子解开，好生掩埋。当尸体被抬走时，他沉痛地低声说："我对不起你们，你们还没有杀敌，我先杀了你们。怨我，怨我平日没教好你们。"将士们一片静默。

1938年3月初，张自忠接到命令，要他率领59军去救援被日军围困在临沂的庞炳勋部，庞炳勋本来与张自忠非常好，但在中原大战中被蒋介石收买，袭击过张自忠，张自忠认为他不仁不义，曾表示不愿和他合作。现在，庞炳勋被日军板垣师团围困在临沂，如果不去救援，就有被歼灭的危险。在这种情况下，张自忠决定以民族大义为重，抛开个人恩怨，立即率军前去援救。他率军迅速赶到临沂郊外，与被围困在城内的庞炳勋部取和联系，约定张自忠在城外攻击围城的日军，并切断敌人的退路，庞炳勋从城内和城外全面出击。敌军受到前后夹击，首尾难顾，一夜之间被歼灭一千多人。板垣师团最后只得放弃攻城，只对59军作战，双方在沂河两岸反复冲杀。张自忠下定决心，与敌人死拼到底，激战三昼夜后，59军也付出了惨重的代价。

战斗结束后，张自忠任27军团司令官兼59军军长，成了新闻记者采访的中心人物，一个记者曾问张自忠："张将军，您的部队屡经血战，伤亡极大，为什么还能屡次打胜仗呢？"张自忠简要地答道："我的部队就是剩下三百人，也要打三百人的仗，剩下一兵一卒，也要力战到底！"

1940年，已升任第33集团军总司令兼第五战区右翼兵团总司令的张自忠，奉命到枣阳、宜昌一带截击敌人。5月4日，枣阳会战全面开始。5月7日晚上，张自忠部开始与敌人短兵相接，战斗非常激烈。

5月14日，张自忠率部队抵达方家集。这时方家集已经被日军占领，张自忠命令部队攻打方家集，他亲自站在高坡上督战。战斗一直持续到中午，虽然七八天来，连续截击敌人，消耗很大，但在张自忠的率领下，士气仍然非常旺盛。

16 日清晨，张自忠又率领部队赶到南瓜店阻击日军。敌人暂时放弃进攻其他地方，集中优势兵力围攻张自忠的部队。日军从西、南、北三面包围上来，在炮火的掩护下轮番冲锋，张自忠的74 师伤亡很大，在危急的时刻，张自忠命令非战斗人员撤离现场，他自己坚持战斗，到最后，他把自己的卫队全派出去增援前线，身边只留下一名高级参谋，一名随从副官。下午 2 时左右，身负重伤的张自忠向长官写完最后一次报告，然后握着副官的手说："我对国家、对民族、对长官、对良心都安了。"说完，他推走了副官，自己却与冲上来的日军展开生死搏斗，最后连中数弹，壮烈牺牲。随他出征的官兵也全部阵亡。

张自忠殉国后，他的灵柩被运往重庆，沿路的群众自发地烧香祭奠，重庆、延安先后举行隆重的悼念活动，全国各界知名人士纷纷题词、撰文，悼念忠魂。

抗日战争的胜利

zhonghuashangxiawuqiannian

1945 年，八路军、新四军和华南纵队，连续发动了几次大规模的反攻，切断和摧毁了敌人的几十条重要交通线，迫使日伪军从许多孤立的据点撤退，龟缩到一些大中城市。日伪军感到末日来临，军心动摇，伪军投降的人数越来越多。这样，根据地的军民改变了过去被敌人分割包围的局面，开辟了许多具有战略意义的新解放区。

这时国际上反法西斯战争进展顺利，为国内抗日战争创造了极为有利的条件。

1945 年，太平洋战争爆发，1945 年 8 月 6 日和 9 日，美国把刚研制出来不久的两颗原子弹分别投掷在日本的广岛和长崎。造成了三十多万人伤亡。给日本天皇和主战者以极大的威慑。

与此同时，苏联于 8 月 8 日对日宣战。9 日凌晨，苏联红军一百多万人在总长四千多公里的战线上同时发动进攻。苏联的参战，使大批日本关东军或者投降，或者被剿灭。日本首相哀叹说："苏联的参战，使我们最终处于绝境。已无可能继续作战。"

就在同一天，毛泽东发表了《对日寇最后一战》，指出："中国人民的一切抗日力量应举行全国规模的反攻，密切而有效地配合苏联及其他同盟国作战。"接着，朱德司令向全军发布了对日伪军展开全面大反攻的命令。华北、华中、华南以及其他各地的八路军，迅速前进，收缴敌伪武器，接受日伪投降，并积极准备进军东北。

8 月 10 日，日本政府发出乞降的照会。

8月14日，日本政府照美、英、苏、中四国政府，宣布无条件投降。第二天，天皇以广播"停战诏书"的形势宣布无条件投降。

9月2日，在东京湾的美国密苏里号战舰上举行了日本投降签字仪式。日本首相代表天皇和政府在投降书上签字。麦克阿瑟代表同盟国签字，接受日本的投降。接着，美、中、英、苏以及澳大利亚、加拿大、法国等国的代表依次签字。至此，中国人民坚持了八年的抗日战争终于胜利结束了。

抗日战争的彻底胜利，是中华民族百年来从未有过的胜利，结束了中国人民近百年来的反抗帝国主义屡次遭到失败的历史。它提高了中华民族的国际地位，大大振奋了民族自尊心，并为解放战争的胜利奠定了巩固的基础。

大 决 战

抗日战争胜利后，全国人民奔走相告："我们胜利了！"苦难的中国终于迎来了和平的曙光。

但蒋介石一心想消灭共产党，实行独裁统治，他不顾全国人民的反对，悍然发动了内战。于 1946 年 6 月向中原解放区发动进攻。

解放区在毛泽东的领导下，不计一城一地的得失，集中兵力歼灭敌人有生力量，在运动战中消灭敌人，八个月的围歼消灭了蒋军七十一万兵力。粉碎了蒋介石的全面进攻。接着，又打破了蒋介石的重点进攻。

这样，经过二年多的时间，国共双方的军事力量发生了变化。国民党总兵力由四百三十万下降到三百六十万，并且由于战线过长，后方空虚而军心涣散，士气低落。而人民解放军经过战争的锻炼，总兵力由一百三十万发展到二百八十万，武器装备大大改进。军心振奋，士气高昂，并且有了巩固的后方，在这种情况下，中共中央决定举行全国性的反攻，进行战略大决战。

1948 年 9 月，人民解放军在东北发起了辽沈战役，战略大决战拉开了帷幕。人民解放军在"寸土不失，寸土必争"的口号下采取"关门打狗"的战略，经过三十一个小时的激战，攻下锦州，关上了东北的门户。东北"剿总"副司令兼锦州指挥所主任范汉杰被俘后说："这一招非雄才大略之人是做不出来的。锦州好比一条扁担，一头挑着东北，一头挑华北，现在是中间折断了。"接着，困守长春的敌军宣布起义。长春宣告解放。蒋介石想夺回锦州，便命令廖耀湘率兵向锦州前进，结果全军覆没。解放军乘机解放了沈阳、营口等地，辽沈战役胜利结束。

东北解放以后，战场转移到华北，淮海战役开场了。这时，人民解放军一面积极部署军事行动，一面加强宣传攻势，从心理上瓦解敌军。

淮海战役是以徐州为中心，东起海州，西至商丘，北自临城，南达淮河的广大区域重要军基地。11月6日，解放军以迅雷不及掩耳之势，挺进到徐州外围，经过十六天的激战，在碾庄地区歼灭国民党十七万人。接着，又在双堆集围歼了黄维兵团十二万人，最后俘虏了徐州"剿总"副总司令杜聿明。淮海战役胜利结束，蒋介石被迫宣告"引退"。

当淮海战役还在进行的同时，东北野战军挥师入关，和华北野战军合作，开始了平津战役。战役开始时，人民解放军采用"围而不打"或"隔而不围"的办法，把敌人分割包围在天津、北平、张家口等几个孤立的据点里。接着，按照"先打两头，后取中间"的攻击次序，将所包围的敌军逐个消灭。1949年1月15日，攻下了天津，接着解放军百万大军云集在北平地区，严密包围了城中的二十多万敌军。傅作义在经过一番心理斗争后接受了和平改编。北平的和平解放，平津战役胜利结束。

三大战役胜负已见分晓，胜利是属于人民的。

—中华人民共和国的成立—

zhonghuashangxiawuqiannian

在追击歼灭国民党反动派的炮声中，中国共产党开始酝酿建立新中国！

经过周密细致的准备，中国共产党邀请了各民主党派、爱国人士和各阶层的代表，共同参加了中国人民政治协商会议，商讨关于新中国成立的问题。

1949 年 9 月 21 日下午 7 时，在雄壮的人民解放军进行曲和隆隆礼炮声中，中国人民政治协商第一届全体会议召开了。

会议经过充分讨论，通过了《中国人民政治协商会议共同纲领》、《中央人民政府组织法》等。规定：中华人民共和国是新中国的名称，定都北平，改为北京；采用公元纪年；国旗为五星红旗；在国歌没有正式确定以前，以《义勇军进行曲》为代国歌。大会选举毛泽东为中央人民政府主席，朱德、刘少奇、宋庆龄、李济深、张澜、高岗为副主席，周恩来、陈毅等五十六人为政府委员会委员。

9 月 30 日，会议闭幕。傍晚 6 点左右，在毛泽东主席率领下，政协会议主席团成员——参加过辛亥革命、五四运动、南昌起义、红军长征以及历次革命战争的老战士们，步入了晚霞照耀下的大安门广场，在宁静、肃穆的气氛中，大家在倾听周恩来的致词："为……纪念死者，鼓励生者，特决定在中华人民共和国首都北京建立一个为国牺牲的人民英雄纪念碑。"随后，毛主席宣读了碑文。

1949 年 10 月 1 日，中央人民政府委员会正式宣布就职。下午 3 时，人们期待已久的开国盛典开始了。在人们的热烈欢呼声中，毛主席等领导同志健步走上了天安门城楼，再次接受群众的欢呼致意。接着，毛主席以洪亮而又浓厚的湖南乡音庄严地宣布："中华人民共和国中央人民政府今天成立了！"

这个具有伟大历史意义的声音，立刻在三十多万人的广场上引发了海潮般的欢呼声。此时，中央人民政府秘书长林伯渠宣布："奏国歌，请毛主席升国旗。"毛主席按动电钮，广场中央的五星红旗在雄壮的乐曲声中冉冉升起。

当人们还在昂首仰望这面神圣的国旗时，五十四门礼炮齐鸣二十八响。五十四门礼炮象征着组成中国人民政治协商会议第一届委员会的五十四个单位，二十八响代表着中国共产党领导中国人民英勇奋斗的二十八年，一时间天摇地动，气壮山河。随后，盛大的阅兵式开始。朱德身穿崭新笔挺的呢料军装，在阅兵总指挥聂荣臻的陪同下，乘坐敞篷车，检阅中国人民解放军陆海空三军，受检阅的解放军步伐雄健，精神抖擞，个个英姿飒爽；晴朗的天空中，十四架银灰色的雄鹰也尽情地在翱翔，接受敬爱的领袖检阅。

晚上，首都人民提灯游行，整个北京城洋溢着一派欢乐祥和的气氛。与此同时，全国各地的人民普天同庆，热烈庆祝新中国的诞生。

中国历史崭新的一页从此翻开了！